RHA

(trwy garedigrwydd Gerwyn Thomas)

Rhamant a Hiwmor
Tydfor

Golygwyd gan Ann Tydfor

Argraffiad cyntaf — 1993

ISBN 0 86383 904 5

ⓗ Ann Tydfor

Dymuna'r cyhoeddwyr gydnabod cymorth a chyfarwyddyd Adrannau'r Cyngor Llyfrau Cymraeg.

Argraffwyd gan
J. D. Lewis a'i Feibion Cyf., Gwasg Gomer, Llandysul, Dyfed

Cynnwys

Cyflwyniad

Pwrpas y gyfrol hon yw rhoi cyfle i rai ddod i adnabod gwaith Tyfdor ac i eraill, sydd yn ei gofio, gyfle i flasu eto ei ramant a'i hiwmor unigryw.

Cyn dechrau darllen y llyfr meddyliais y byddai'n syniad go dda i chi gael tipyn o hanes Tydfor, er mwyn i chi gael ei adnabod fel person cyn gwerthfawrogi ei waith fel bardd.

Yn Nolwylan, Cwmtydu ar 2 Medi 1934 y ganed Tydfor—a dyna'r esboniad am ei enw, sef cyfuniad o Tydu a môr. Ef oedd unig blentyn Evan George a Hetty Jones. Sioronwy oedd enw barddol ei dad, y degfed o'r deuddeg o blant yn nheulu'r Cilie. Roedd yr Awen yn gryf yn Sioronwy a bu'n barddoni trwy'i oes gan gyfrannu ysgrifau'n rheolaidd i'r *Faner, Y Darian* a'r *Tivy Side.* Bu farw yn 1953, yn 61 oed. Roedd yn gymeriad ffraeth a llawen ac yn ddarllenwr eang ond er hynny mynnai lynu wrth yr hen ffordd o fyw gan wrthod y dulliau modern o ffermio. Etifeddodd Tydfor lawer o nodweddion ei dad.

Roedd ei fam, yn chweched o wyth o blant Griffith a Deborah Griffiths, a symudodd o Fferm Mynachlog, Talgarreg i fferm Caerllan, ger Eglwys Llandysiliogogo, Cwmtydu. Ni fu erioed neb caredicach na Hetty, ei fam, ac nid oedd wiw i neb adael Y Gaerwen heb gael bwyd a rhywbeth i fynd adre gyda nhw. Anghofiaf i byth y croeso a gefais ganddi. Roedd yn gymeriad ffraeth a chanddi chwerthiniad iach. Bu'n weithgar iawn ar y fferm hyd nes cafodd ei tharo gan afiechyd. Tydfor neu 'Tyd', fel y galwai ef, oedd ei byd. Bu farw flwyddyn ar ôl ein priodas, bythefnos cyn cyrraedd ei phen blwydd yn 76 oed. Etifeddodd Tydfor lawer o nodweddion ei fam hefyd.

Pan oedd Tydfor tua dwy flwydd oed symudodd y teulu bach i fferm Y Gaerwen, sy'n cael ei hamgylchu gan fferm y Cilie a'r môr. I mi, lle bendigedig yw'r Gaerwen lle mae heddwch a phrydferthwch nad anghofiaf byth. Ar ganol y fferm mae Y Gaer, sef caer o'r Oes

Tydfor a'i dad

Tydfor a'i fam

Haearn sydd yn un o gadwyn o geiri a chestyll yn yr ardal. Heddiw yr OP4 yw'r Gaer Newydd (er ei bod ar dir y Cilie) sef *Observation Post* rhif 4 ac mae'n un o gadwyn o Aberporth. Fferm oddeutu deugain erw oedd Y Gaerwen a thir delfrydol ar gyfer tewhau da. Ar un amser roedd y tir yn mynd lawr dros y graig bron i'r môr ac roedd y da yn rhydd i grwydro'r graig am flewyn gwyrdd a hefyd i gael dŵr o'r ffynnon.

I Bontgarreg yr aeth Tydfor i'r ysgol cyn mynd i'r Ysgol Ramadeg yn Aberteifi. Bot, Cem a Sw oedd ei bynciau yn y chweched dosbarth, ond adref i ffermio at ei dad a'i fam y daeth Tydfor. Fe welwyd dylanwad y pynciau yn ei hoffter o flodau gwyllt, anifeiliaid a byd natur. Ar ôl colli ei dad, bu ef a'i fam yn ffermio gyda'i gilydd.

Roedd ei fywyd yn llawn, yn ei amser sbâr darllenai'n eang yn Gymraeg a Saesneg—llenyddiaeth, wrth gwrs, a hefyd athroniaeth a

Tydfor tra oedd yn ddisgybl yn Ysgol Uwchradd Aberteifi

Tydfor, y gŵr ifanc, yng nghwmni ei fam

gwleidyddiaeth. Bu'n frwdfrydig yn ei gefnogaeth i'r Clybiau Ffermwyr Ifainc a bu'n aelod ffyddlon o Glwb Caerwedros. Byddai'n aml yn mynd i siarad â gwahanol fudiadau a chael pleser a mwynhad o wneud hynny; beirniadai hefyd a chystadleuai mewn eisteddfodau lleol. Weithiau byddai'n cael ei wahodd i fod yn ŵr gwadd mewn ciniawau. Ar ôl i ni briodi roeddwn innau'n cael mynd gydag ef— roeddem ein dau yn hoffi bwyta, yn enwedig pethau melys—ond yn wahanol i mi doedd Tydfor byth yn tewhau.

Bu Tydfor ynghyd â Cassie Davies, Mari James a Dic Jones yn aelod o dîm y de yn y rhaglen 'Penigamp' dan lywyddiaeth D. Jacob Davies. Rhaglen boblogaidd iawn oedd 'Penigamp' ar y radio, ac am gyfnod byr ar y teledu yn y chwech a'r saithdegau. Bu llawer o hwyl rhwng aelodau'r tîm wrth ymateb i'r tasgau a roddwyd iddynt. Hyd heddiw caf fy atgoffa gan nifer am y rhaglenni a'r pleser a gafwyd wrth wrando arnynt.

Y gaseg olaf ar ben banc Y Gaerwen

11

Yr Adar

Bu Tydfor yn aelod o Adar y Bryn er tua 1969, a phan benderfynodd yr arweinwraig Mona Jones orffen yn 1974, sylweddolodd Tydfor y byddai'n colli'r gwmnïaeth a'r pleser o fynd o bentref i bentref i ddiddanu. Felly dyma ffurfio Adar Tydfor gyda Stan Griffiths, Eifion Williams a Glan Thomas, yr arbenigwr ar beiriannau—yn enwedig bêlers. Nid yn unig yr oedd lleisiau da ganddynt ond roedd ganddynt dalentau eraill hefyd. Mae Stan yn fedrus iawn gyda'r organ geg, Glan yn chwarae gitâr, banjo ac acordion ac Eifion yn chwarae llwyau a photeli gweigion. Yn ddiweddarach ymunodd Ifor Owen Evans fel adroddwr ac mae ef erbyn heddiw yn enwog am ei ganeuon yn nhîm Crannog yn Nhalwrn y Beirdd. Wedyn roedd yn rhaid cael cyfeilydd i'r Parti. Un noson roedd yr Adar wedi cyfarfod yn Nhafarn Penrhiw-llan, Cei Newydd ac fe ddaeth yr ateb iddynt. Yno roedd Mari Jones o Lanllwchaearn yn canu'r organ ac fe fodlonodd i ddod atynt fel cyfeilyddes. Roedd yn ddawnus yn chwarae'r organ a'r piano ac roedd ganddi lais da. Bu Pwyllgor Neuadd Sarnau yn garedig yn rhoi caniatâd iddynt ymarfer yn y neuadd ond iddynt roi cyngerdd blynyddol yno.

Bu'r Adar yn llwyddiannus iawn a chynhalient gyngherddau mewn neuaddau, festrïoedd, tafarnau a chlybiau trwy Ddyfed a thu hwnt. Ymddangosasant ar y teledu a chlywyd hwy yn aml ar y radio. Bu'r ddwy record o'u gwaith hefyd yn boblogaidd.

Gan mai godro â llaw a fynnai Tydfor—gwrthododd newid i beiriant godro—roedd yn anodd, wel a dweud y gwir, yn amhosibl mynd ymhell iawn oddi cartref. Ond, er hynny, fe aeth dros Glawdd Offa gyda'r Adar, gan naill ai odro'n gynnar y prynhawn neu ar ôl dod adref! Mae'n siŵr fod y gwartheg druain yn ddiolchgar mai anaml iawn y digwyddai hynny!

Bu sawl digwyddiad cofiadwy yn eu hanes. Un a wnaeth yr Adar yn ddi-hwyl oedd cyrraedd neuadd, taith tuag awr o gartref, a chael y lle'n wag! Roedd trefnydd y noson wedi cadarnhau'r trefniadau gyda Tydfor ond wedi anghofio rhoi'r dyddiad i bwyllgor y neuadd.

Un bai oedd ar Tydfor—os gallech ei alw'n fai—anaml iawn y

byddai'n brydlon, yn amlach na pheidio roedd yn HWYR! Efallai mai dyma'r rheswm i'r Adar roddi cloc yn anrheg priodas i ni! Yr hyn a ddisgwyliai'r Adar pan gyrhaeddent y pentref lle'r oeddent i gynnal Noson Lawen oedd gweld person yn hofran ar y pafin neu ar ganol yr heol yn edrych amdanynt. Weithiau byddent yn mynd ar goll a gorfod galw mewn tŷ ar ochr y ffordd am gyfarwyddyd i gael hyd i'r neuadd—ac wrth gwrs, cyrraedd yn hwyrach byth oherwydd hyn. Ond chwarae teg i'r Adar, os oeddent yn hwyr yn cyrraedd roeddent yn hwyr yn gadael hefyd.

Fel byddai Tydfor yn teimlo'r gynulleidfa'n ymateb iddo âi yn ei flaen heb feddwl dim am amser, ac yna fe ddeuai'r diweddglo—'Y Fferm', yn cael ei pherfformio mewn ffordd fythgofiadwy gan yr Adar. 'Cwmtydu' a'r 'Fferm' oedd y ffefrynnau bob tro. Un peth nodweddiadol o Tydfor—byddai ei lygaid ar gau bob tro pan ganai.

Weithiau cymryd rhan mewn cyngerdd mawreddog a wnâi'r Adar a phryd hynny Tydfor fyddai'n aml yn arwain y noson, ond fel arfer rhoi noson gyfan a wnaent—noson yn dangos eu talentau unigryw. Os oedd y Noson Lawen mewn neuadd neu festri, roedd gwledd yn eu disgwyl ran amlaf wedi ei pharatoi gan y gwragedd—a dyna lle byddai joio wrth ymlacio ar ôl noson lwyddiannus! Wedyn gyrru adref yn gymedrol a sgwrsio'n braf. Mor wahanol fyddai dechrau'r noson—godro, shafo, newid ac efallai disgled o de a bant ag e gan dorri pob cornel hyd nes cyrraedd. Cyw iâr a tships oedd y bwyd pan gynhelid Noson Lawen mewn tafarn neu glwb.

Un tro mewn pentref yng nghanol y wlad daeth Tydfor yn y pic-yp ar ras—yn hwyr fel arfer. Roedd maes parcio'r neuadd yn llawn felly dyna adael y pic-yp ar draws y fynedfa, a mewn ag ef i'r neuadd. Aeth y noson yn hwylus ac ar y diwedd aeth yr Adar nôl i gefn y neuadd at y bwyd a oedd yn eu disgwyl. Ymhen amser daeth dyn i mewn a golwg wyllt ar ei wyneb gan ofyn am help llaw i symud pic-yp rhyw ffŵl a oedd yn rhwystro pawb i fynd adref gan ei fod yn blocio'r ffordd allan. Allan â'r Adar a Tydfor yn uchel ei gloch yn cydymdeimlo â'r dyn a dweud 'on'd yw rhai pobl yn ddifeddwl', wrth roi help i godi a symud y pic-yp o'r ffordd, cyn mynd nôl i'r neuadd a gorffen y bwyd.

Roedd gan Tydfor ddawn arbennig i ddweud jôcs. Fel pob arweinydd, arferai ddweud jôcs rhwng eitemau. Byddai edrych ar ei wyneb yn ddigon i wneud i rywun chwerthin. Yn aml cyn terfynu dechreuai ar ei *repertoire* o jôcs. Arferai gadw at themâu, a'r jôcs yn dod un ar ôl y llall. Os arhosai ennyd fel petai'n cysidro pa jôc i'w dweud nesa fe glywai'r Adar o gefn y llwyfan yn ei atgoffa trwy alw 'ysbyty', 'Cwmtydu', 'y babi', 'yr offeiriad', 'pib', ac yna fe gariai yn ei flaen. Un peth oedd yn fy nharo i—doedd dim ots sawl gwaith y clywai Stan, Glan, Eifion, Ifor a Mari y jôcs—roeddent bob tro'n ymateb fel pe baent yn eu clywed am y tro cyntaf. Roedd ganddo gynulleidfa berffaith ynddynt. Un o'm ffefrynnau i oedd y jôc am yr arwerthwr yn dangos bwthyn unig yng nghanol y wlad i gwpwl parchus o'r dre. Ar ôl gweld y llofftydd, y lolfa, yr ystafell fwyta a'r gegin gofynnodd y ledi, 'Ble mae'r *toilet?*' 'Dewch gyda fi,' meddai'r arwerthwr a'u tywys lawr llwybr yr ardd i gwt bach yn y pen pella. 'O! diar,' meddai'r ledi, 'Beth sy'n bod?' gofynnodd yr arwerthwr. 'Does dim clo ar y drws,' meddai. 'O! does dim rhaid i chi boeni,' atebodd, 'does neb wedi dwyn y bwced 'to.'

Weithiau dywedai jôcs ar ffurf barddoniaeth yn ei ffordd unigryw ei hun. Hoffai ddweud am y boi meddw yn cerdded adref ac yn cwympo ar ei gefn i'r ffos, gan edrych lan ar y lleuad a'r lleuad yn edrych lawr arno fe, ac mae'r boi'n dweud wrth y lleuad:

Rwyt ti'n gwenu'n siriol arnaf
Minnau'n gorwedd yn y ffos,
Rwyt ti'n llawn bob pedair wythnos
Ond rwyf fi yn llawn bob nos.

Arferai'r Adar gael Trip a hefyd Ginio amser y Nadolig bob blwyddyn a hyd heddiw mae'r gweddill yn ceisio cyfarfod i gael cinio o gwmpas adeg y Nadolig.

Cafodd Tydfor lawer o fwynhad hefyd gyda champau'r 'Hoelion Wyth' yn Aberporth, a phan fu sôn am ddechrau papur bro yn yr ardal roedd Tydfor yn un o'r sylfaenwyr ac ef a awgrymodd yr enw, sef *Y Gambo.* Ef oedd â gofal 'Stacan yr Awen'. Yn wahanol i bron bopeth arall gofalai fod y 'Stacan' yn barod mewn da bryd ar gyfer Jon Meirion Jones, y golygydd.

Sawl gwaith, ac yntau ar ganol godro, y byddai car yn dod i'r clos —'Sgwennwch rywbeth ar gyfer John sy'n priodi fory', neu 'Mae Sian yn cael ei phen blwydd ddydd Sul, sgwennwch bennill i mi.' Ac yna byddai'r person yn pwyso yn erbyn y wal ac yn aros. Doedd hyn ddim yn creu llawer o broblem i Tydfor os oedd yn adnabod John neu Sian, ond yn aml wyddai e fawr ddim amdanynt ac wedyn rhaid oedd holi am dipyn o'u hanes ac efallai gofyn i'r ymwelydd ddychwelyd nes ymlaen. Ysgrifennai adroddiadau, caneuon a sgetsys i unrhyw un a ofynnai iddo, a gwneud llawer o ffrindiau drwy hynny.

Credaf fod barddoniaeth yng ngwaed Tydfor oherwydd dylanwad ei dad arno'n blentyn bach. Mae gennyf gyfrolau o farddoniaeth ganddo o oedran cynnar iawn lle mae'n amlwg ei fod wedi dysgu barddoni ac ysgrifennu yr un pryd. Mewn un copibwc, pan oedd yn unarddeg oed mae ganddo Ragair:

Y mae'n rhaid i mi lanw llyfr eto. Y mae'n llawn diddorach i bob un, ac os oes rhywun nad yw'n meddwl bod rhyw fan ddim yn ddigon da y mae'n rhaid iddo wneud un yn well na mi. Y mae pob un yn gofyn i mi a ydwyf yn barddoni peth yn awr ac nid oes eisiau iddynt hwy ofyn i mi'n awr os gwelant y tu mewn i'r llyfr yma.

Awst 1945   Pob lwc drwy'r llyfr
                                             Tydfor Jones

Y tro cyntaf i mi weld Tydfor, yr oedd yn cneifio yn y Cilie a minnau'n ferch o'r dre wedi mynd yno i gael gweld cneifio am y tro cyntaf erioed. Ychydig a feddyliais y byddwn yn gweld yr un yr oeddwn am ei briodi! Ar ôl y tro yma roedd yn rhyfedd pa mor aml y digwyddais ddod ar ei draws, ond Eisteddfod Aberteifi oedd dechrau'r garwriaeth.

Cofiaf am y tro cyntaf i mi fynd i'r Gaerwen gyda Tydfor. Prynhawn braf ym mis Chwefror ydoedd, ac wrth ddringo'r lôn fach at y fferm daeth rhyw deimlad rhyfedd drosof. Teimlais fy mod yn mynd adref a bod y fferm yn fy nerbyn ac yn fy nghofleidio. Arhosodd

Y Gaerwen

Caer Tydanfor

16

y teimlad trwy'r blynyddoedd y bûm yno, ac mae yma o hyd pan fyddaf yn hel atgofion.

Ymhen amser dyma benderfynu priodi ac adeiladu byngalo yn ymyl y ffermdy lle'r oedd ei fam yn byw. Caer Tydanfor oedd enw'r byngalo, sef cyfuniad o'n henwau ni'n dau. Ar 28 Mawrth 1978, sef dydd Mawrth y Pasg, fe'n priodwyd yn Eglwys Llandisiliogogo gan y Rheithor, y Parch Emrys Jones. Ifor Owen Evans oedd y gwas priodas a Mari Jones oedd yr organyddes. Gwasanaeth priodas bach, tawel oedd ein dymuniad, ac felly y bu. I ddilyn cafwyd neithior yng Ngwesty Gogerddan i tua chant o westeion gan gynnwys rhai o staff y BBC, a oedd yno i recordio'r cyfarchion priodas ar gyfer rhaglen radio. Doedd dim mis mêl. Rhaid oedd gadael y neithior ar gyfer y godro cyn mynd yn ôl at yr hwyl yng Ngogerddan.

Ar ôl priodi dechreuais ddysgu yn Ysgol Uwchradd Aberteifi, ysgol arbennig o dda, a bûm yn hapus iawn yno gyda'r athrawon a'r plant. Tra 'mod i'n dysgu roedd Tydfor adref yn gweithio ar y fferm.

Ann a Tydfor ar ddydd eu priodas

17

Tydfor a Prins, y ci

Erbyn hyn roedd ei fam yn methu â'i helpu oherwydd afiechyd, ac felly fe geisiais i, merch o'r dre, wneud ychydig i'w helpu er y bu sawl tro trwstan ar y dechrau. Amser cynhaeaf gwair, ar ôl helpu i stacio'r bêls, roedd pothelli ar gledrau fy nwylo, felly bu'n rhaid gwisgo menig at y gwaith. Y tro cyntaf i Tydfor ofyn i mi nôl y gwartheg ar gyfer eu godro aethant i mewn i'r cae llafur! Ond fe gefais faddeuant ac fe ddeuthum i hoffi'r gwartheg yn fawr iawn. Roedd gan Tydfor enwau ar rai o'r anifeiliaid, Magi oedd un o'r gwartheg ar ôl Mrs Thatcher gan ei bod yn fuwch gas a gwamal, yna Shirley oedd yr Aberdeen Angus ddu ar ôl Shirley Bassey! Dudu oedd un o'r cathod am ei bod mor ddu, a JR y galwai Jac, y Jac Russell, ar ôl J. R. Ewing o'r gyfres deledu 'Dallas'.

Ni chafodd gyfle i deithio oherwydd galwadau'r fferm ond yr oedd yn gobeithio cael hedfan i America ar ôl iddo ymddeol, i ymweld â'i ffrind Dai Morris. Gwaetha'r modd, ni chafodd y cyfle oherwydd ar brynhawn Llun, 20 Mehefin 1983 aeth gyda Jac (JR) ar y Fergie fach lawr yr heol i nôl y bin sbwriel a, rywsut neu'i gilydd, fe ddymchwelodd y tractor a rhoi diwedd ar bopeth.

Am fisoedd lawer gwrthodais dderbyn na welwn ef eto, ac ar ôl gwerthu'r gwartheg godro dyma fynd ati i redeg y fferm orau ag y gallwn gan gadw gwartheg sugno a magu lloi ar gyfer eu tewhau. Cefais gymorth a chefnogaeth amhrisiadwy gan gymdogion, yn enwedig Jim a Hawena James, Ciliau Hwnt a'u mab, Aled. Ces fwynhad o redeg y fferm a gweld y gwartheg a'r lloi yn ffynnu, ond gyda phwysau gwaith yn yr ysgol fe aeth yn ormod i mi a bu'n rhaid eu gwerthu. Yna, wrth osod y tir, doedd pethau ddim yr un fath a sylweddolais y byddai'n ddoeth symud tra bo'r atgofion am y gwartheg, a'r fferm fel yr oedd, yn ffres yn fy meddwl. Felly dyma adael Y Gaerwen am y tro olaf cyn Nadolig 1987. Symudais, gyda Jac a Bob y cŵn; Mari, Dudu, Smwt, Dai a Thwm y cathod, a'r ieir i Tresi Aur ac i olwg Moel Cilie a'r môr.

Ar ôl i mi golli Tydfor roedd Gerallt, ei gefnder wedi bwriadu golygu cyfrol o waith Tydfor. Yn anffodus bu yntau farw'n ddisymwth ar ôl Eisteddfod Llanbedr Pont Steffan. Felly dyma dri chefnder wedi marw o fewn dwy flynedd i'w gilydd—Jac Alun,

Gerallt, Jac Alun a Tydfor

Awst 1982; Tydfor, Mehefin 1983; a Gerallt, Awst 1984. Doeddwn i ddim yn medru wynebu gwneud dim â gwaith Tydfor ar wahân i'w gadw'n ddiogel gyda'r bwriad o wneud rhywbeth ryw ddiwrnod.

Wrth symud fe euthum â phopeth gyda mi ac wrth aildrefnu, dyma benderfynu fod rhaid gwneud rhywbeth ynglŷn â chyhoeddi'r llyfr. Ond sut oedd mynd ati?

Emyr Llywelyn a'm rhoddodd ar ben y ffordd, ac ar ddechrau 1992 dyma chwilio trwy'r silffoedd llyfrau, y cypyrddau, y droriau a'r atig, a chael gafael ar bopeth a ysgrifennodd Tydfor a'u rhoi mewn rhyw fath o drefn. Yna gyda chynorthwy brwdfrydig Emyr, Dafydd Rees Davies ac Idris Reynolds dyma ddechrau dethol y gwaith. Bûm yn lwcus iawn oherwydd cynigiodd Elsie, gwraig Idris, deipio'r gwaith. Cefais gynhorthwy yn ogystal gan Eiris, gwraig Emyr, a chan Glan Thomas a rannodd gyda mi ychydig o'i atgofion am yr Adar. Cefais rai lluniau gan Glan hefyd. Rhaid datgan fy niolch diffuant i bob un a fu'n gysylltiedig â'r llyfr yma, gan gynnwys Dyfed Elis-Gruffydd o Wasg Gomer.

Y Drws

(Sef hen ddrws â phenillion Bois y Cilie arno—a ddarganfu'r bardd ynghanol drysi.)

Ciliodd o Athen Cilie
Gymeriadau, lleisiau'r lle,
Drama, a'r brodyr hiwmor
Ar ei staej yn creu ystôr
O wirionedd gwerinol
Na fedrai neb ei droi'n ôl.

Glewion gywion Mary a'r Go',
Ohonynt pawb yn huno.

Diadfywhad hyd ei fêr
Y cnwcyn dau can acer,
Fy hanner cartref hefyd
Y tai mas yn gytiau mud,
Y to sinc yn bletiau sarn
Heb ei goed o grib gadarn.

Heddiw, O! na fyddwn ddall,—
Y tir dan denant arall,
Sais, a deiliad didalent
Yn byw draw o'r enbyd rent
A thir hael rhwng cwm a thraeth
I feili yn ofalaeth.

I gofio'r rhwyg, i'w fawrhau
I mewn yr euthum innau
Yn brudd fel pe mewn breuddwyd,
Ar y glaw heibio i'r glwyd
I'w glos oer lle gwelais i
Lun drws dan len y drysi
Ar led, diglicied, di-glo,

Hin â'i dwrn di-baid arno;
Hoelion rhwd yn filain res
Ar bren sy'n harbwr hanes.
Â'i liw atgas, dôr lwytgoch,
Diau cynt rhoed ocsaid coch
Ar ei wyneb ryw unwaith,
Heddiw, lwc nad oedd ail waith
I'r gorchwyl, fel y gwelwn
I y wers o ddarllen hwn.

Mae brawddegau, gemau gant
Ar styllod drws diwylliant.
Doniau bedd a'u nodau byw
Pur aneglur, ond hyglyw
Lwyth yr enwog lythrennau!
'Mhob hafn, pa lafn fu'n cwblhau?

Od aeth swyn cymdeithas well
Ar goll yn rhychau'r gyllell,
Erys yma air Seimon,
A J J, F J a John,
Ar hwn mae llaw Sioronwy,
Dai a Thom, gewri doeth hwy.

O Gymreictod bod a byw
Dyddiadur dwy wedd ydyw;
Hwyl y daith mewn pensel du
O fanwl ysgrifennu
Sawl neges lawen, hygoel
O faes i faes islaw'r Foel;—
Cwysi'r cyhyrog weision,
Hau yr ŷd ym Mharc Tan Fron,
Gosod tato 'Mharc Cefn Tŷ',
Hau hadau 'Mharc Tan Beudy,
Gweira ar gaeau'r Hirallt,

Pwn o rêp i Barc Pen 'Rallt,
Cywain ceirch, stacanau can,
Ar odlau o Gefn 'Rydlan
A'r wedd wâr ar Barc Gaer Ddu
Yn nawdd i'w chynganeddu!
Bwrw dom ben bore'r dydd
A'i gywain lawr i'r gwehydd,
A dirwyn dwy-olwynog
Oes y cel at grydd Cwm-sgog.

Morynion miri uniaith
Yma gaf rhwng rhwymau gwaith,
Enwau ffrindiau'r dyffryndir
A chanu serch nosau hir.

Digaeedig ei hadwy
Drwy ias Mawrth yw'r storws mwy,
Storws seiadu hwyrol
Barwniaid âr bryn a dôl.
Rhuddin agwrdd ddoe'n agor
I helô mwyn awel y môr
A thrwy gylchdro'r tymhorau
Allan, y gwyll yn ei gau.

Ddaw'r ha'n ôl i dderwen werdd?
Ar gangau, ymhle'r gyngerdd?
Nid diystyr coed distaw,
Ac wylo o hyd y mae'r glaw.

Er cilio o wag eco'r clos,
Mae hiraeth yr ymaros
Dros un drws yn y drysi
Â'i erwin farc arnaf i.
Mygwyd yr afiaith, megis
Dan olygfa drama drist.

Gofyn

Unigolyn y gwely,—bardd a'i waed
    Yn breuddwydiol garu
   Rhyw eneth oedd am rannu
   Ei fro werdd uwchlaw'r bae fry.

Llanc ifanc wrthi'n cneifio—ar y stad,
    Gwres y dydd yn taro;
   Hardd yr un mewn gwyrdd Reno
   Ddaeth o'r dref ar ddieithr dro.

Ni felly'n troi'n gyfeillion,—hwyr afiaith
    Difrifol a chyson,
   Dau a gwaelod y galon
   Yn tanio'n frwd dan y fron.

Wythnosol, misol a mwy—oedd ddedwydd
    Adeg o gyd-dramwy,
   Goleuai'r plan, gwelai'r plwy
   Addewidion chwap ddodwy.

'Dwed Ann wen, os doi di'n awr—ataf fi
    Grwt y Foel gysgodfawr,
   Di-wall gnawd arall ni'm dawr,
   Rho derfyn ar gur dirfawr!'

Merch a mab fraich ym mraich mwyn—a'u holl sêl
    I gell serch yn dirwyn,
   Ac yna ddechrau'r gwanwyn
   Mynnu lle i'r nyth mewn llwyn.

Derbyn

Fore gwyn! anghofio'r gost—ddoe yn rhydd,
    Heddiw'n rhwym ddiymffrost,
    Ow! mherfedd, darfu'r mawrfost,
    Fawrth y Pasg, fi wrth y post.

Y gwas priodas mewn pryd,—yn ein streips
    Dan straen y disgwylyd.
    Bant ar amrant 'rôl cymryd
    Yr 'un bach' gorau'n y byd.

O'n camre at stand Emrys,*—dywedaf
    Awdurdodol ffrasus,
    Yna'r felen air-felys
    Ac aur y banc ar ei bys.

Melys gwrdd ym mhlas Gogerddan—â haid
    Ein cyfoedion diddan,
    I'r ddeuddyn o'r un anian
    Mwy rhy hwyr bod ar wahân.

Rhamant y telegramau—yn gymysg
    A rhigymog berlau,
    Er llwyddiant daeth presantau
    A'r rheiny'n dwr i ni'n dau.

O'r di-ben-draw giniawa—a'r gegaid
    O'r gagen bagoda,
    Ac i'r daith yfed gair da
    Gwâl a noswyl, gwlei, nesa!

* y rheithor

Diolch

Saernïwyd llys o'r newydd—yn barod
    I'r byw rhwng ein gilydd,
    Deil ar ei dâl wawr y dydd,
    A'r urddas sy'n yr hwyrddydd.

Ei olwg am gwm Cilie—ac i lan
    Hyd ffin glir y brynie;
    Wrth agor llenni'r bore
    Da gweld y wlad o glyd le.

I lenwi 'mol, Ann, mae hi'r Arfones
    Benderfynol wrthi,
    Draw o faes i'r lowns trof fi
    O'r pwdel i'r carpedi.

O rannu'r hen gyfrinach—trwy gariad
    Daw'r gorwel yn lletach,
    Hi a mi yn hwn mwyach
    Fydd darlun y bwthyn bach.

Ac yno ar ei ganol—ein dyheu
    Am nawdd Duw'n wastadol,
    Ail-fyw fel mêl o fiol
    Drama ein hynt wrth dremio'n ôl.

Diolch am gwmni diwyd,—ei gwenau
    A gynnal fy mywyd,
    Na ddoed ond Fo'r diddwedyd
    Rhyngom tra bôm yn y byd.

Araith Briodas

Nawr i'r wraig a fi bo'r clod
Eich bod chwi yn ffit i ddod,
Hoffem wahodd mil a mwy,
Ond heb le y byddent hwy,
Byddai'n rhaid i William Morgan
I helaethu plas Gogerddan,
Ac i godi tent tu fas
Lle mae'n awr ei ddefaid bras,
Ac efallai byddai'n rhaid,
Rhostio'r rhain i ffido'r haid.
Ond 'rwy'n diolch iddo'n hael
Am fod platiau llawn i'w cael,
Diolch am y fflyd morynion,
Fel angylion ceinion gwynion,
Diolch am y ddwfwn ffynnon
Alcoholig i'w gwaelodion,
Cofiwch, mwya'i gyd chi'n feddwi,
Mwya'i gyd fydd raid 'chi sobri.

Diolch i'r Parchedig reithor,
Am gael benthyg sgôb ei allor,
Diolch Mari, Hafan Glyd,
Am gerddoriaeth bêr i gyd,
Sul ei gŵr ddaeth da'i'n jecos,
(Mae'n ffwl stop ar dop Pen rhos),
Mae siwt felen Cyngor Dyfed
Gydag e ond nawr mae'n yfed
Gydag Eifion, Glan a Stan,
Gyda'u gwragedd a ddaeth lan,
Rhain yw'r bois sda fi yn canu,
Yn ôl rhai dim ges amdani,
Ond mae Ifor 'da ni'n adrodd,
Heddiw cafodd job fwy anodd

Fi yw'r bos, efe yw'r gwas,
Rowliwr ffags a rheiny'n fras.

Diolch i'r cymdogion oll,
Am ddod lawr heb fynd ar goll,
Diolch di-ben-draw gefnderwyr,
Ffermwyr, gweinidogion, morwyr,
Gerallt, Pwyll, Jac Alun, Dylan,
Jim y Felin, Llew a'r postman,
Jim Tynewy a'r Hawenfa,
Besi hefyd i'r gymanfa,
Daeth infeshwn o Gwmtydu,
Ray ac Elfan a'u brawd Jeri,
Stwffio'i fola a wnaeth Edwin,
Yna i stwffio sawl gwaith wedyn.
Diolch Ryda, Wil a'r Panne,
Am eich graenus shws a'ch sane,
Diolch Anti Mag, a Mam,
Am roi cwff go lew i'r ham,
Diolch Gerwyn, Wil ac Eunice,
Hefyd Hywel a Jac Harris,
Arall Ann am drimio gwallt,
Ann y wraig heb fod yn hallt.

Deric, gefnder, a Miranda,
Draw o gapel Henrietta,
Beryl gneither a Nyrs Bowen,
Dai a Gwen a Jac a Blodwen,
Meirion, Meri gneither arall,
Jon y Banc a'i dad yn ddiball
Berwyn a fu'n cario'r celfi,
Elwyn Owen o Germani.
Arwyn, Delyth, Emrys, Marian,
Felly mlân, Heulwen ac Elgan.

Diolch gwmni 'Penigamp',
Hi Teleri a'r tri sgamp,
Dyma rai o'n ochor i,
Rochor arall sydd da ti!
Ond rhof bleidlais i'r rhain hefyd,
Am eu cysur yn fy nghlefyd,
Nawr mae'r papur braidd yn brin
Newid trac sydd raid fan hyn.

Diolch am y cash a'r tosters,
Y blancedi, a'r carpet swipers,
Am sosbannau, gwydrau gwin,
Basnus cawl yn ffit i'r Cwîn,
Caserols, bord goffi, ffyrcs,
Non-stic becwer, tynnwr cyrcs,
Baromedr, lluniau lliw,
Carthen dwym i'r iâr a'r cyw,
I ddiddiwedd gaserols,
Ffeiar gard i rwystro'r cols,
Pob peth o dan haul sy'n bod,
Llawer mwy, gobeithio, i ddod.
Diolch am gael cardie print,
Rhai we'n disgwl nhw ynghynt,
Diolch am thri-teiar nobl,
Photograffydd lliw i'r bobl,
Diolch am ga'l modrwy aur,
Am ei bys cyn cnaea gwair.

Lawer tro am ynys Enlli,
A Chaernarfon tros y genlli
Ar hwyrnosau haf cyn hyn,
Tremiwn draw o'r banc yn syn,
Gan ryw deimlo fod 'na mhell,
Un a wnâi fy myd yn well,

Fel yr awel fêl yn chwerthin
Gyda'i gwallt fel petal eithin
Ac yn llifo'r melys win
Yn rhaeadrau dros ei min.

Jiw, na ganu sentimental
Beirddion gynt sy'n horisontal,
Gwell dod nôl i'r dwarnod heddi,
Sy'n achlysur i'w ryfeddu
I'r rhai gredent nad oedd sbarc
Ac mae oer oedd gwaed fy ngharc,
Rhai briodant a mynd bant,
Pan yn tynnu am eu cant,
Ac mae hithe Leisa Teiliwr,
Wedi ca'l rhyw whech neu seithgwr,
Ond nid ydwyf ar ei list,
Neu Ann roith un ym môn fy nghlust,
Bûm yn mynd am sbel da Casi
Fel y rest ca'l mynd a gas hi,
Ond bydd hon yn aros mwy
Drwy bob storom, niwl a chlwy.

O rannu'r hen gyfrinach—trwy gariad
    Daw'r gorwel yn lletach,
   Ann a mi yn un mwyach
   Fydd darlun y bwthyn bach.

Darn Digri—Fi a Hi

Wedi joino clwb y rhacs
Mwy'r bendithion na'r dro bacs,
Ma 'na ferched pert sha'r Gogle,
Bechgyn da sha'r De ontefe,
Ond 'dyw'r iaith yn nhre y Cofi
Ddim 'run fath â sgwrs y Cardi,

Ma nhw'n yngan lawr 'u gwddwg
Ac yn dweud yr 'u' yn amlwg,
Ac mae gan fy ngwraig rai geire
Sy'n fy ngoglais i am ddyddie.

Hi'n dweud teishen, fi'n dweud cêc,
Nid yw hyn ond un mistêc,
Y mae'n hoffi, wyst ti be,
Ddisgled dda o goffi yntê,
Adeg brecwast uwd yw porej,
Wi yw wy ar bwys fy sosej,
Fi yn mofyn, hi yn isho,
Hi i'r lle chwech, fi'n mynd i bisio,
Taid 'da hi, ta-cu 'da fi
Nain 'da hi, 'da fi, mam-gu.

Bwrw'n drwm a'r glaw ymhob man
Mynte fi, medd hi, mae'n stidan,
Ei chur pen, 'da fi'n ben tost,
Clwyd yw'r iet a pôst yw'r post.
Hen grwt ffeind wyf fi 'da'r wraig
Hi'n ferch neis i fi, (nid draig),
Pan 'mod i yn dwedyd ceser,
Cenllysg, medde hi bob amser,
Ac ni wyddwn i, myn Duw,
Mai iâr yr haf oedd glöyn byw.

Hi yn poeni, fi yn becso,
Hi yn strywan, fi yn rhacso,
Gyda'r Northen, byw yw trigo,
'Nifel gyda ni'n ecspeiro!
Hi sy'n flin a finne'n grac,
Trowser slac 'da hi yn llac,
Edrych 'ma 'da hi yn yli,
Pip yn stag a sâl yn giami.

31

Gwn mai cefn ydyw cefen,
Hefyd trefn ydyw trefen.

Fi yn llefen, hi yn crio,
Fi'n rhoi shot a hithe'n trio.
Stwffiaf bancos lond fy lasog
Hithe grempog lond ei stumog.
Fi'n dweud gown, a hi'n dweud coban,
Fi'n dweud bapa, hi'n dweud baban.
Hi'n moyn gwartheg, fi'n hôl da,
Pilw glân, gobenny 'ma.
Nhw yn dychryn, fi'n ca'l ofan,
Fi a'r dafe, hi a'r dafan.

Fi yn jwmpo, hithe'n sboncian,
Nhw'n hel clecs, a ninne'n cloncan,
Llefrith roith yn soser pws
Ac i finne glamp o sws.
Fi'n dweud afu, hi'n dweud iau,
Hi sut 'dach chi, fi 'shw mae,
Hi 'tyd yma', fi'n dweud 'dere',
Hi mewn difrif, fi dim whare.
Hi'n dweud nionod, fi'n dweud winwns,
Hi'n dweud cennin, fi'n dweud shibwns.

Aeth y corryn yn bryf cop,
(Nid y 'chief constable' sy'n rhoi stop!)
Aeth yr allwe yn agoriad,
Hi sy'n bishyn, finne'n gariad.
Troes y macyn gwyn yn hances,
Rhiw yn allt, on'd yw hi'n llances?
Troi fy migwrn wnes â'm ffêr,
Da dod miwn o'r open êr
Am y gegin nerth fy magle
Anodd byw heb wraig o'r gogle'.

O wneud cinio, golchi 'mhans,
A'i un hithe, pan gaiff tshans!
Cynnu'r tân, glanhau y brasus,
Glwchu'r stamps a'u stico i'r casus,
Cadw trefen ar y bedrwms,
Crafu tato, ffrio myshrwms,
Prynu cig 'da John Rhydlewis,
(Os yw'n ddrud, mae ganddo ddewis!);
Hwfro'r llwch neu'r dwst sy'n cronni,
Mas â'r lludw, sori, lludi.

Yn hen lanc rown gynt yn cysgu
Fel pererin dan flancedi
Wrthi'n chwyrnu, a breuddwydio
Heb un llais ar bwys i'm deffro.
Nawr pan ddaw y rhew caf 'nelu
Yn galonnog tua'r gwely.
Bydd y wlad yn dalp tu fas,
Ninnau'n dau yn gwlwm cras,
Ac yn dweud wrth wrando'r gwynt,
Pam na briodon ni ynghynt!

Bro Pontgarreg

Cwr o deg Ceredigion—ydyw hi,
    Daear ein gobeithion,
    Yma'r Gymraeg ym mêr hon
    Yw'r golud i'w thrigolion.

Ardal ger yr arfordir—a nythle
    Y ffrwythlon amaethdir,
    Cylch glandeg Pontgarreg îr,
    Paradwys o bob brodir.

Lle pert, i gafell y pant—daw mawredd
    Holl dymhorol ramant,
    O'i ffyrdd am ei hyfforddiant
    O'r plwy i'w hysgol daw'r plant.

I wrhydri'r cynt frwydro,—neuadd wych
    Sydd i'w iawn atgofio,
    Diddan a brwd ddoniau bro
    A ddôn' ddiwedydd yno.

Ar rawd ddistaw, yr Hawen—gyfeiria
    I'r cryg fôr yn llawen,
    Glanwedd haf i'w glennydd hen
    A rydd ysblander addien.

Annwyl yw ynghanol hedd—hir y wlad,
    Ar ei lain yn gorwedd,
    I bentref ein tangnefedd
    Eiliwn y mawl, ni a'i medd.

Limrigau

Haf 'leni aeth Ifan a finne
I'r Barri i olchi'n penglinie,
    Pan dynnodd ei sane,
    Mor ddu oedd ei goese
A'i wine' heb dorri 'ddiar llyne!

Fe roddes dan iâr oedd wrth lwc w
Yn gori, ryw bymtheg wy gwcw,
    Disgwyliais yn selog
    Dros fisoedd haf heulog,
Ond heb geiliog, we'r cwbwl yn glwc w.

Y car fwrodd hwch ar riw Brongest,
Ac fe ddoth hi miwn whiw drwy'r ffenest,
    Ei phen wedi hollti
    A'i lwyr ddatgysylltu:
Mae'r halltu 'run dwarnod â'r incwest.

Aeth Ifan i'r mart â'r llo sugno,
A'r treiler yn cratshan a chorco,
    Ar dop rhiw Cwmsgwt,
    Daeth bant, 'dwn i'm shwt,
A dim ond ei gwt welwyd fforco.

Mae 'nghender sy'n byw 'Mhantygene
Efalle fel finne yn dene,
    Camstacwyd e'n sydyn
    Rhyw ddwarnod am fwydyn
A wedyn fe gododd y brain e.

Aeth paffiwr go fras Tiger Bay
I dreio ei lwc efo Clay,
    Ond druan ag o,
    Mae'i drwyn e' ar dro
Ond er y KO mae'n OK.

Wrth lanw y petrol i'r Jag
Aeth Lewis i danio ei ffag,
    Ond ffrwydrodd y cwbwl
    I fyny yn gwmwl
Cyn iddo fe feddwl cael drag.

Yn llawen y bûm yn rhodianna,
Fin nos gyda'r flonden fach lana',
    Ond diwedd y cwbwl
    Cwympasom yn ddwbwl,—
'Na drwbwl yw hen groen banana!

Cyn hir bydd aelodau y ffeirad
Yn teithio hyd eithaf y cread;
    Sawl llwyth mewn spês-ships
    Ar derfyn y trips
Yn galw am 'chips' ar y lleuad.

Rwy'n caru yn awr efo Sal,
A'r mawredd y mae hi'n un dal,
    Cyn caf ei chusanu
    Na rhoi braich amdani
Mae'n rhaid im fynd lan i ben wal.

Fel twrcen mae Leisa yr Hafod
Drwy'r pentre yn cloncan a thrafod,
    Os rhoddai un llam,
    Disgynnai'n Sei-am,
Petasai ei cham fel ei thafod.

36

Dychmygwch fod hwyad a chwrci
Am unwaith â'i gilydd yn croesi,—
    Hanner plu, hanner blew
    Yn galw cwac-mew
Wrth nofio'n go lew a dweud grwndi.

Rwy'n mofyn y dryll ac yn dratio
Pan welaf y brain mewn cae tato,
    Petaen nhw yn gallach
    Fe welent ymhellach
Mai rhwyddach yw pigo tomato.

(*trwy garedigrwydd Gerwyn Thomas*)

Adar Tydfor: (o'r chwith i'r dde): Ifor, Tydfor, Glan, Mari, Eifion a Stan

O! Deuwch am Dro

O! deuwch am dro, ar hyd llwybrau y fro
Yr hen sir, lle rwyf fi yn byw,
Y Gwbert a'r Mwnt, traethau hyfryd tu hwnt,
Eu henwau sy'n fiwsig i'm clyw.

Cytgan:
Ie, dyma'r hen fro
Lle mae ysgol a chapel a llan,
Ac iaith orau'r byd ar dafodau o hyd
A chyfeillion mor hael ymhob man.

Aberporth a Thresaith, er mynd lawer gwaith
I'w crwydro, maent newydd bob tro,
Y Ferwig, Parc-llyn, Penparc dros y bryn
Blaenannerch, Tremain, dyna'r fro.

Moel Cilie fan draw sydd yn esgyn uwchlaw
Hoff bentre Blaencelyn a'r Wîg,
Rhwng Llangrannog a'r Cei, dwylaw Duw fu yn creu
Cwmtydu dan eithin a grug.

Rôl siopa yn nhre Aberteifi i'r de,
Dewch nôl i dawelwch y wlad,
Bro'r gweiriau a'r ŷd, a'r holl draethau i gyd,
Hen leoedd y serch a'r mwynhad.

Cyngor Dyfed

Pwy sy'n trasho cloddiau'r fro—Cyngor Dyfed
Cyn cael hoe tu draw i'r tro—Cyngor Dyfed
Pwy sy'n rhoi y peips i lawr—Cyngor Dyfed
Ac yn codi nhw mewn awr!—Cyngor Dyfed.

Cytgan:
Cyngor Dyfed, Cyngor Dyfed
Dyma foddion ein gwellhad,
Cyngor Dyfed, Cyngor Dyfed
Dyma Gyngor gorau'r wlad.

Pwy sy'n clirio'r sespits mas,
A'u trwyn lan mewn smel mor gas,
Pwy sy'n casglu'r rags a'r bôns
A rhoi tŷ i Mrs Jones.

Pwy sy'n stydio'r plans a'r plot,
Ac yn mesur yr hŵl lot,
Wedyn dweud mewn deuddeng mis,
'Fill this other form in please'.

Pwy sy'n dod i'r Cownti Hôl,
Dweud eu barn ar eu pen ôl,
Pwy sy'n cael eu talu'n dda
Am ddweud 'yes Sir', a 'Ta ta'.

Pwy sydd yn y stecs a'r dŵr,
A chot oren am bob gŵr.
Pwy sy'n cloco miwn yn fras
Ac rôl cinio cloco mâs?!

Cofio Darbi (Adroddiad)

Heno'n sŵn y storm aeafol
Daw'r darluniau'n ôl yn stôr,
Am yr amser yn dy gwmni
Yn dy deyrnas gerllaw'r môr.
Torri'n drist wna tonnau hiraeth
Am dy ddoe ar garnau chwim,
Hyd y diwedd, nid oedd iti
Unrhyw dasg yn ormod ddim.

Yn un o bâr yn trin yr erwau
O dan law fy nhad, ŵr llon;
Ef a minnau yn eich dilyn
Yn ei bryd bob maes o'r bron.
Darfu miwsig pêr y tresi,
Darfu'r daith at Jac y gof,
Nid oes ebol tal yn sugno
Namyn yma yn fy nghof.

Gwthiodd chwiw y moderneiddio
I'r anialwch gart a thrap,
Gwthiodd hefyd aradr ungwys
I ben lori bois y sgrap.
Ar sedd esmwyth nerthol dractor
Mor ddiramant ydyw'r dydd,
Dim i'w ddweud, na dim i'w gerdded,
Dim gorfoledd tynnu'n rhydd.

Wedi dod rhialtwch hwnnw,
Daeth i tithau rwyddach byd,
Pori tyfiant yr arfordir
Ac ymestyn yn dy hyd.

Gyda Joli, dod i bensiwn
A riteiro'n rhydd i'r banc,
Nes daeth heibio'r hen ysbeiliwr
Anweledig yn ei wanc.

Heno'n sŵn y storm aeafol
Nid wyt ti na Joli'n bod,
Does ond atgo sentimental
Yn nhymorau'r mynd a'r dod.
Dros oer dalar parc yr eithin
Chwythed y didostur wynt,
Rwyt ti'n dawel, dawel yno
Dan y pridd lle cerddaist gynt.

Y Siyrn Laeth

Yn saith deg naw, chwi wyddoch
Bu angladd y siyrn laeth,
Bu'n handi tae ond gennych
Un afar, buwch, ta' waeth;
A nawr i'r ffarmwr modern
Daw'r anferth dancer las,
Tra'r ffermwr bach sy'n seino
Y dôl ar ôl mynd mas.

Ei lôn yn fwt a thwlle
A'r rheiny'n dala'r glaw,
Ei fwlche'n gul a'r beudy
A'i wedd yn destun braw.
Roedd troi i'r bylc yn ormod
O ffwdan, gwaith a chost,
Nawr rhaid cael papur doctor
A phils at fola tost.

Ei miwsig fu'n atseinio
Wrth fwrw'r caead bant,
A'i theulu'n y tŷ cwler
Mor barchus bron â'r plant,
A'r gaffer mewn gorfoledd
O'i weld yn llanw lan
Gan geisio'i chodi wedyn
Nes bod ei goese'n wan.

Ni fydd hi yn disgleirio
Ar ben y stand byth mwy,
A'r lebel wrthi'n hongian
Bob bore ymhob plwy.
Ac ni ddaw'r lori'n brydlon
I'w dwyn i'r Felin Fach,
Daw mwswm dros y concrit,
I'r stên rhaid canu'n iach.

Bu'n cario trugareddau,
Papure Sul a dŵr,
Llythyron, bara'r becer,
Bwyd llo a chig a fflŵr.
Cyn hir bydd hon yn ganpunt,
A welwyd y fath tshîc?
Hen gan fu'n dal deng galwn
Yn gwerthu fel antîc.

Y Ddau Blismon

Nyni sy'n blismyn smart ac effro
Yn mynd mewn Panda ar batrôl
O Aberteifi i Aberystwyth
Fel haearn stilo mlân a nôl.
Sdim iws i chi i fynd drw'r gole
Pan fyddo hwnnw ar y coch
Neu ticed gewch pwy bynnag fo'ch.

Nawr peidiwch chi ag yfed gormod
Yn lownj y pyb hyd hanner nos,
Ac wedyn mynd i ddreifio'r motor
Pan fethwch sefyll ar un go's,
Os gwelwn chi fe gewch y cwdyn
A hwthu iddo cyn pen chwinc
Os dros y marc, chi fydd mewn clinc.

Gofelwch barcio yn ofalus
Yn ddigon pell o'r ielo lein,
Y brecs a'r corn o hyd yn gweithio
Neu dowch i'r cwrt i dalu ffein.
Gofelwch fod pob peth mewn trefen,
Insiwrans, tacs a'r drwydded dest,
Neu bydd 'ma le a chynnal cwest.

Nawr peidiwch taflu yn ddiofal
Y cwdyn tships ar hyd y stryd,
Na chwympo mas a'r wraig drws nesa
Na'i chnoco nes bod yn 'i hyd.
A pheidiwch troi y gwartheg godro
I'r heol fawr i bori'r clais
Neu down ni'n dau i godi'n llais.

Gofelwch edrych yn drwsiadus
Ac nid fel hipi mewn gwallt hir,
A pheidiwch mynd i fyta myshrwms
Mewn ffestifals ar dop y shir.
A pheidiwch tyfu llysiau rhyfedd
Na chymryd drygs a smoco pot,
Neu'r sgwad a ddaw i glirio'r lot.

Mae'r llyfr bach tu fewn i'r boced
Rhaid gwisgo cap a chario tortsh,
Cawn bryd o fwyd mewn sêl a steddfod
A pheint ar slei tu fewn i'r portsh.
Cawn dynnu llun yn gwenu'n siriol
Mewn diner siwt mewn meior's bôl
Cyn mynd yn ôl ar y patrôl.

Pero

Rwyf heno'n benisel wrth feddwl amdano
A'r awel mewn galar ym mrigau y llwyn,
Fe ddwedir na welir gwerth dim cyn ei golli
Ac felly rwyf innau yn lleisio fy nghwyn.

Huna'r hen Bero wrth odre y mynydd
Yn ddistaw a llonydd lle gweithiodd cyhyd,
Casglodd y preiddiau mewn stormydd a heulwen
Gorffwys mae mwyach, a minnau sy'n fud.

Dim ond imi chwiban, yn ufudd âi beunydd
Â'i lygaid caredig i'r meysydd fan draw,
Ac yna dychwelyd i'm hymyl yn ffyddlon
Gan siglo ei gynffon wrth lyfu fy llaw.

Gwag ydyw'r buarth a gwag ydyw'r sgubor
Man lle y cysgai o flinder y dydd,
Mwy nid yw'n cyfarth wrth gyfarch cymdogion,
Gwrando na rhedeg na chrwydro yn rhydd.

Ar hyd y blynyddoedd ni fu un gwas tebyg
Am wneud ei ddyletswydd bob tro fel efe,
Bydd hiraeth yn aros dros lwybrau'r hen Bero
Er cael rhyw gi arall i lanw ei le.

Fe af draw yn dawel hyd ymyl ei feddrod
A thybiaf ei fod ef yn clywed fy nghri,
Ofer im ddisgwyl i'm ffrind godi heno
Ac atgo yw'r cysur o golli'r hen gi.

Y Wennol

Gobeithio caf weled y wennol
Fel arfer yn dychwel i'w nyth,
Bu'r gaeaf yn greulon a chaled
Ac ofnais na welwn hi byth;
Aeth hon a'i rhai bychain y llynedd
Gryn bellter dros erwau y dŵr,
Paham na ddaw eto eleni
A chyrraedd yr un mor ddi-stŵr?

Yn oriau digalon y gaea'
Mae'n gorffwys yn heulwen y De,
Nid yw, pan fo'r oerfel a'r eira,
I'w gweled o gwmpas y lle,
Nid oeda ym mrigau y llwyni
Ond hedfan dan lesni y nen,
Ni welwn ei chartre'n y gwyrddail
Ond mewn rhyw adeilad uwchben.

Ers pan aeth i ffwrdd yn yr hydre
Mae hiraeth yn llethu fy mron
Am 'i gweled hi'n troi dros y buarth
A'i chlywed yn twitian mor llon,
'Rwy'n disgwyl a disgwyl amdani
Bob dydd pan fo Ebrill gerllaw,
A bydd, o dan fondo y beudy,
Fy nghroeso yn wresog pan ddaw.

Cadw Oed â'r Haf (Adroddiad)

Pan fyddo'r haul yn gwaedu dros orwel clir y lli
A'r wylan yn troi adref i hedd ei hafan hi,
Mewn modur crand ewch chwithau i hwyl y cwmni braf
A dyma'r pryd af finnau i gadw oed â'r haf.

Pan fyddo'r gwlith yn disgyn ar ruddiau dôl y cwm,
A'r gwdihŵ yn llefain o furiau'r bwthyn llwm,
Ymhell y byddwch chwithau yn hanner llon a chlaf
A minnau'n rhodio'r llwybrau gan gadw oed â'r haf.

Pan ddaw yr ystlum allan i hedfan dros y clos,
A'r draenog yntau i hela hyd dawel ffyrdd y rhos,
I'ch parlwr fe ddaw lluniau Pontcana a Llandaf,
Ond gwell yw'r rhai a welaf tra'n cadw oed â'r haf.

Pan fyddo'r cadno'n llithro o'i ffau'n y rhedyn gwyrdd
A'r mochyn daear wedyn ar drot rhwng cloddiau'r ffyrdd,
Yn oriau y cysgodion, eich cwmni chwi ni chaf,
Af heno ar ôl swper i gadw oed â'r haf.

Pan fyddo'r lloer yn dringo i ganol sêr y nen
A mantell o dywyllwch yn disgyn dros fy mhen,
Yn flin dewch chwithau adref o hwyl y cwmni braf;
Ar ysgafn droed dof finnau, 'rôl cadw oed â'r haf.

Jên Ann

Telais arian, lot o arian, do, am ffownten pen,
Er mwyn danfon llythyr bach i'r fwynaf dan y nen.
Llythyr Saesneg oedd, wrth gwrs, er mwyn cael dangos steil,
Y mae llythyr mewn iaith fain fel pe'n fwy werth wheil.

Bûm yn pwslo ac yn pwslo, do, am lawer awr,
Methu ffeindio geiriau pert i roi fy serch i lawr.
Troi'r hen ddic-shonari mawr nes 'mod yn syn
Gorfod bod yn fodlon mwy ar eiriau bach fel hyn.

Ceisiais ddwedyd am y moch, y da a'r ddau bow-wow,
'Penwen fach has cym e caff, and smol pigs widd ddy sow,'
Teimlais eto nad oedd steil, sôn am y fuwch a llo,
Nôl i ddechre'r llythyr bach am y degfed tro.

Bu'r hen lythyr yn fy mhoced am ddiwrnodau maith,
Awn ag ef i'r caeau gwair, a phobman ar fy nhaith,
Aeth yn felyn ac yn ddu, cyn ei roi'n y post,
Tebyg oedd myn hyfryd i, i glwt o fara tost.

Sut oedd gorffen hyn o lith at f'annwyl Jên Ann lon?
'Iwers in antisipeshon, lyf ffrom Samwel Jon',
Er mwyn llenwi'r pej mewn steil, â rhywbeth heb y print,
Dyma fi'n rhoi cis, cis, cis, rhai ar lun rhod wynt.

Cân y Gwcw

Dois yn ôl o bell diroedd yr Affrig,
Ar fy nhaith dros agored erwau'r don,
Tua'r fan lle mae'r haf yn teyrnasu
Ar ei dro yn yr 'ynys fechan hon'.

Dois yn ôl i hen fro Ceredigion
I ganghennau'r llwyn helyg a'r llwyn onn,
I roi cân pan fo gwlith ar y glaswellt
Gyda'r wawr yn yr ardal gynnes hon.

Drwy y dydd ym mis Mai a Mehefin
Fe gaf ganu nodau f'enw, o mor llon,
Nid oes unman â'i chroeso fel Cymru,
Nid oes galon all ganu'n well na hon.

Cyn daw stormydd ac oerfel y gaea'
Codaf adain i'r wlad sydd hwnt i'r don,
Cyn dod 'nôl yma eto flwyddyn nesa'
I ailganu annwyl nodau'r gân fach hon.

Y Concord

Rown i'n sefyll pa fore yn hollol jacos
Yn siarad â'r ficer ar ganol y clos.
Ac yntau'n myfyrio a chrafu ei ben
Daeth ergyd yn sydyn fel taran o'r nen.
Disgynnodd fel sached o dato'n un carn
'Ie wir', mynte fe, 'dyma fore'r farn'.
Disgynnodd ei sbecs ryw ganllath i ffwrdd
Yn y bwlch fe gofleidiodd yr anner a'r hwrdd,
Fe gwympodd y fale o'r goeden bob wan
A ffaelodd fy nghrys ar y lein sefyll lan.

Melltennodd y gath drw'r ydlan fel jet
A neidiodd y tarw yn clîn dros ben iet,
Y ffrisian mewn braw yn dyfod â'r llo
A hwnnw seis mwydyn a'i ben e ar dro.
Dôi wyau yr ieir drwy'u penole yn glwc
Ond we'r ceiliog yn canu trw'r cwbwl, wrth lwc.
Yr hwyad yn tagu wrth ddwedyd cwac-cwac,
A'r barlat yn myned rhwng coese'r combac.
Y wraig yn teyrnasu ma' crac yn y seld,
A ma'r brain a'r gwylanod drw'r garet i'w gweld,
Ma'r goldffish ar waelod y bowl megis bloter
A saethodd y corcyn o jar yr hot woter,
Ma' bwdji ar waelod y cej, druan bach,'
'Cau dy ben,' mynte fi, 'wyt ti'n eitha iach'.

'R un noson darllenwn â brwdfrydedd a sêl
Ddiddorol golofnau yr hen 'Western Mêl',
Ac roedd llun o awyren fawr wen
O sbîd siwpersonig yn hedfan drw'r nen,
Ac o dani y geiriau—'The Concord they say
Will fly down the west coast at 11.30 today.'
Ond nawr roedd rhy ddiweddar am unrhyw ymwared
A'r ficer 'as wel as cwd bi ecspected.'
Ond byddaf lan fory cyn bydd rhagor o fés
I ddweud beth rwy'n feddwl wrth Elystan A S,
Ac i hwnnw roi neges i'r batshilor Heath,
I stwffo ei Goncord o'r golwg am byth.
Rhwydd iawn iddo fe fwynhau ar yr iot
Tra'r concord ffor' hyn yn crynu'r hôl lot.

Cwmtydu

Rhwng Cei a Llangrannog mae traeth gorau'r byd,
Ac yno rwy'n myned o hyd ac o hyd,
Un prin iawn o dywod, dim ond cerrig mân
A'r môr rhwng dau fancyn i'w gadw yn lân.

Dau dŷ sy'n yr hafan, Glanmorllyn, Glan-don,
Ond mae pawb sydd yno yn gwmni bach llon,
Mae'r rhedyn a'r eithin a'r grug ar bob llaw
Bob tro'n eich croesawu fel ffrindiau o draw.

Y ffermydd o'i amgylch â'u rhwymau yn dynn,—
Y Pen-parc a'r Felin, Caer-llan a Phant 'r Ynn,
Y rhain sy'n gofalu na welir y dydd
I'r traeth fynd o'u gafael o'r cwlwm yn rhydd.

Daw'r haf â'i foduron hyd ymyl y lli,
A rhai hwnt i Gymru'n darganfod ei fri,
Na synnwch am hynny, does unman yn well,
Ac nid oes erbyn heddiw un man yn rhy bell.

A phan ddaw y gaeaf a'r llethrau yn llwm,
Daw hedd i deyrnasu dros erwau y cwm,
Dim ond cri'r gwylanod ac ymchwydd y don
Yn torri distawrwydd paradwys fy mron.

Sbringclino

Pan ddaw'r sbringclino i'n tŷ ni,
Mae'r lle'n egsblodo, coeliwch fi,
Mae'r wraig clîn mas o'i sensys, odi wir,
A syniad doeth yw cadw'n glir.

Cytgan:
Y mae'r llygod hynod hynod
Dan y carped 'da'r corynnod,
Oll yn croesi fel camelod
Dros y rŵm ar ffo.
Bocs paent, y fflŵr a'r dŵr, dau frwsh,
Mae'n rowlo'r papur yn un rwsh,
Mae'r lle fel ffair yn llawn o bob ryw sent,
A'r dwst am flwyddyn wedi went.

Rôl bod trw'r gegin, â i'r bac,
A nôl i'r parlwr, finne'n grac
Yn disgwyl cinio tuag amser te,
Ac mae'n bryd swper cyn caf i e'.

'Sdim iws i'r ffeirad ddod am dro,
Neu bryd o dafod a gaiff o,
Neu rowl o leino'n hedfan biti'i ben
Cyn codi'i gwt a dweud 'Amen'.

Rôl bod trw'r llofft ac o dan stâr,
Ni fydd na phaent na phapur sbâr,
Pan ddaw'r sbringclino i'n tŷ ni
Mae'r lle'n egsblodo, coeliwch fi!

Feri gwd—No gwd

Daw bois y tyrbans heibio bob hyn a hyn i'r fro,
A thestun dychryn ydynt pan ddôn nhw ar eu tro,
Mae barfen gafar deidi yn hongian dan yr ên
A phâr o lyged bywiog yn mynd trw Hana Jên.

Fe ddaethant heibio llynedd, un cob yn dreifio'r fan
A'r llall ddôi â'r portmanto rôl parcio'n bach nes lan,
A chnoco'r drws, a Hana yn dod i'w ateb o
Ac yntau'n dechrau browlan bant rôl dweud 'Gwd Dê', Helô'.

'You've got a lucky forehead, this bead will bring you joy,
You're a hardworking woman, your husband a nice boy';
Agorodd glawr ei gesyn ar ganol step y drws,
A dechre ar ei bregeth fel pe bai ar y bŵs,—

'This scarf is very pretty, this shirt is very cheap,
This tie, good for your husband, these stockings, have a peep,'
O'r diwedd mynnodd Hanna gael crys i Twm y gŵr
Er mwyn cael gwared arno, yn bennaf, y mae'n siŵr.

Fe wisgodd Twm ei bresant i fynd i fart y dre
A phan yn paso ffenest y dreper, gwelodd e
Fod crys 'run sbit yn fan'no, ond bod e bunt yn llai
Na'r un oedd e'n ei wisgo a gwelodd ble we'r bai.

. . . . . .

Fe ddaethon' eto leni, a gwelodd Jên nhw'n dod,
'Wel nawrte', medde hi'n dawel, 'irypshons sydd i fod,'
Agorwyd y portmanto 'run fath ar ben y step
Ond dyma Twm yn dod a dweud, 'O, boi y cryse tshep!'

Fe gydiodd yn ei goler, rhoi cic yn ble we fod,
A'r cês a'r silcs i'r domen fel parashŵt yn dod;
A daeth y tyrban arall i dreio setlo'r clash
Ond hwnnw aeth i gysgu pan gâdd y fforarm smash.

Fe fynnodd Twm ei setlo am byth, doed ffein neu jâl,
'Go back to where you came from, to land of Taj Mahal'.
A Hana Jên gaiff lonydd byth mwy da'r blingwyr llwm
A chrys rhesymol yn ei bris fydd mwy am gorpws Twm.

O'r chwith i'r dde: Ifor, Tydfor, Stan, Eifion a Glan yn cymryd rhan mewn
Noson Lawen yng Ngŵyl Fawr Aberteifi

Y Crys Colledig

I'r Ŵyl genedlaethol beth amser yn ôl,
Ddydd Iau own am fynd, ond stwffie nhw'r stôl,
Ddydd Mercher fe olches fy nghrys nes cael sglein
A'i hongian dros nos i sychu o'r lein,
Ond tra we'n i'n cysgu, daeth heibio myn diawst
Rhyw gorwynt dychrynllyd, 'na chi, storom Awst.
Bu'n goglis ei gefen am sbel cyn ei godi
O'r ardd, pegs a chwbwl, a'i hwthu cros cyntri.
We'r strem gyda llaw o gyfeiriad y môr,
Nôl hyn we'r colledig rhwng tŷ ni a'r M4.
Boed hynny neu beidio, off es i'r eisteddfod
Yn 'y nghrys gwaith bob dydd gan wisgo fy ngwasgod
I gwato rhan fwya ohono tu fla'n
A thei fflower power yn sharpo ei ra'n,
Ac os down i'n ôl yn brydlon dy' Gwener
Bwriadwn i lonsho man-hynt am y ffleier;
Ac fel 'ny y bu rôl tawelu pob gwyntyn
A'r crys wedi ca'l whare teg nawr i ddisgyn
Daeth sgwad Dyfed Powys, alseshans and ôl
Helicopters o'r Brodi i fewn i'r patrôl,
Ond er dyfal gribo pob llwyn drain ac ithin
O'r crys (prisiwmed lost), ni welwyd un rhithyn
Rhoed manylion ei goler, bwtwne a'i liw,
A'i lun yn *Y Cymro* a'r *Police Review*,
A holi pob dreper a phob Pacistani
A thwmlo'u portmantos cael gweld wedd e fanny,
A sbio'r pregethwyr a'u gwisg sbic an sban
Galle un o'r cobs hynny wedi bigo fe lan,
Hysbyseb i'r Teims, fe fydd 'big award'
Se hwn yn dod nôl i Jons Gaerwen Cards,
Ond heno rwy'n gweld pen draw i'r holl hanes,
Ma'r pethe'n goleuo ers pan y dechreues,

Rwy'n gweled y crys am gorff person ma'n awr,—
Dwy'n edrych ar neb, sydd yn gwrando o'r llawr,
Ac er bod dwyn eiddo yn drosedd ofnadw
Os ydyw e'n wresog, wel gall e ei gadw,
A wedyn na ddiwedd ar holl rigmarôl
Y pilyn ddiflannodd beth amser yn ôl.

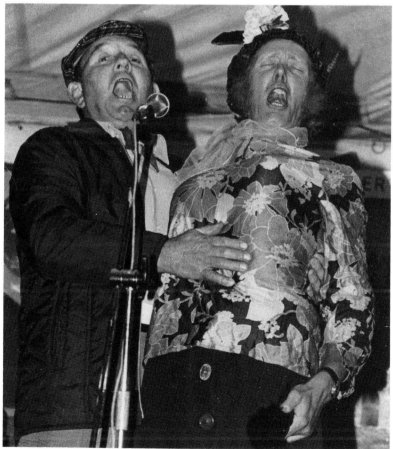

Stan a Tydfor yn ei morio hi mewn Noson Lawen yng Ngŵyl Fawr Aberteifi

Dim Parcio

Yn hapus un prynhawnddydd
I Aberteifi'r es,
A pharcio ger y palmant
Yn saff, (fe dybiwn) wnes.
Mi euthum ar fy musnes
Ryw hanner awr i'r dre
Heb gymaint â breuddwydio
Fod trwbwl byti'r lle.

O'r diwedd roedd fy siopa
Yn gyflawn oll i gyd
Ac es â'm llwythog bethau
I'r fan oedd ar y stryd.
Ond wedi cyflym gyrraedd
Mi ffeindiais bapur-dag
Yn hongian wrth y windsgrin
Fel rhyw fawreddog fflag.

Deallais chwap y neges,
Cans rwy'n ddarllenwr mawr,
A brysiais am yr orsaf
Yn ffyrnig iawn yn awr.
Ac yno'n arglwyddiaethu
Yr oedd oraclau glas
Yn barod i ddyletswydd
A gosodiadau'n fras.

Dadleuon ni ddatblygodd
Cans roeddwn yn bur syn,
Disgwyliwn glywed eto
Nes mlaen rhyw ddydd ma' hyn.

A chlywais pan dderbyniais
Y dociwmentau'n stôr,
Ar dafol fawr cyfiawnder
Yn awr Awst twenty-four.

Nid wyf yn becso llawer
Am hyn, beth bach gwerth grot
Y plismon llygad eryr
Nid yw e'n miso lot.
Ond dwedaf hyn, gymrodyr
Rôl hynny dyma ben,
Tro nesaf, llygad eryr,
A fydd gan grwt Gaerwen.

No Parking

One afternoon quite happy
To Cardigan I went,
And parked beside the pavement
With no law-breaking meant.
I went about my business
For half an hour or more
Not dreaming that quite near
Some trouble was in store.

And when my weekly shopping
At last was quite complete,
I took my loaded baggage
Van-bound along the street,
But after quick arrival
I found a paper tag
A-dangling from the windscreen
Like some majestic flag.

59

I soon found out the message,
For I am able to read,
And hurried to the station
Quite furious now indeed.
And there in lordly fashion
Were oracles in blue,
All ready to do duty
And take a statement true.

No arguments developed
'Cos nothing did I say,
For I expected this day.
And hear I did on having
The documents galore,
And on the scales of justice
I'd be, August twenty-four.

I'm not unduly worried
About a thing like this,
The vulture-eyed policeman,
Not often does he miss.
But I'll say this, dear comrades,
And it will now suffice,
Next time I'll be the person
Who has the vulture eyes!

Anffawd Ifor yr Hafod

Aeth Ifor i fyny i'r Hafod
Er mwyn cael cymhennu a thrafod,
Cyrhaeddodd efe o gylch amser te
Yn y lle ar bwys Sarne chi'n gwbod.

Daeth allan yn llawen â'r mower,
Un bychan ond mawr o ran power,
Dyma ddechre shafo, riferso a hwpo
Heb stopo na llusgo rhyw lawer.

Roedd 'chydig o wlith ar y borfa
A llether we'n help i ga'l herfa,
Ma'r Atco yn dod ar ben byse'i dro'd
Ni fu na ariod fath gymanfa.

Ar unwaith fe dagodd y peiriant
A'r 'claret' yn dod yn llifeiriant!
Awd draw pentigili i 'sbyty Glangwili
A'i roi yn y gwely am seibiant.

Y cwestiwn oedd ple wedd 'i fyse
We'n arfer bod dan 'i dyrn-yps e,
Fe fydde, chi'n deall, yn cerdded fel madfall
Tae peth o'r dro'd arall yn ise.

Wedd e yn 'i elfen da'r nyrsus,
A sawl gwaith bu wrthi'n eu goglis,
Yn ei gadw yn ôl rhag mynd o gontrôl
We'r ancl-tw-sôl plastar Paris!

Ond nawr y mae'n cerdded fel ninne
A gwisgo'i ddwy shwsen a'i sane,
Ond mwy bydd rhy glefer i slipo'n ddifater
Pan fydd y lôn-mower o'i fla'n-e.

Tynnu

Mae rhai yn tynnu tato,
Rhai'n tynnu mla'n neu nôl
A'r lleill yn tynnu'r pensiwn
Neu falle'n tynnu'r dôl.
Rhai'n tynnu danne' pwdwr
Neu'r llo o'r fuwch yn saff,
A bechgyn bro Llanboidy
Sy'n hoffi tynnu rhaff.

Mae rhai yn tynnu llunie,
A'r lleill yn tynnu 'nghyd,
Y bîb, rhaid tynnu arni
A'r lle yn fwg i gyd
Y cawr Mohamed Ali
Â'i ddwrn sy'n tynnu gwaed,
A'r boe â'r sgidie anferth
Drwy'r lle sy'n tynnu'i draed.

Rhyw rai sy'n tynnu sylw,
Rhaid weithiau dynnu plet,
A thynnu'r claw' wna'r ffermwr
Cael lle i hongian iet.
Rhaid tynnu swêts ac erfin
A'r shibwns yr un fath,
A thynnu'r oen a'r ebol
We'n arfer tynnu lla'th.

Mae pawb yn tynnu anal,
Rhai'n tynnu wmed hir,
Mae'n bleser tynnu raffl
A thynnu'r ffens trw'r tir.

Os tynnir miwn y bile
Rhaid tynnu mas y tshec,
A thynnwn at raglenni
Harlech a'r bib-bi-ec.

Cyn hau, rhaid tynnu'r arad
A'r oged yn ei thro,
A thynnu'r llinell weithe
Neu fynd yn llwyr o'ch co.
Rhaid tynnu'r peint i'r gwydyr
Cyn talu wrth y bar,
Os eith e miwn i'r gwter
Fe fydd rhaid tynnu'r car.

Rhaid tynnu'r cnau o'r goeden
A'r fale cyn cael stiw,
A thynnu'r croen cyn bwyta'r
Fanana felen liw.
Ar ddiwedd cwrdd a drama
Daw amser tynnu'r llen,
A daeth ein hamser ninnau
I dynnu'r gân i ben.

Englynion Digri

Cystadleuaeth Miss World

O'u gwledydd bronnog ladis—a ddaw'n swil
   I ddwyn sylw y jydjis,
   Cywennod mewn bicinis,
   A *un* mewn am ddeuddeng mis.

Er eu gweld bob tro i gyd—fel Efa
   'All over' yn symud,
   Ail fy nelaf anwylyd
   Am oes, bois, fydd Miss y Byd!

Gwely

Un tawel, sengel i sant—neu i'r bardd
   A'r boi gaiff yswiriant;
   Ond i feinwen dy fwyniant—
   Dwbl un a haid o blant!

Y Tarw Potel

Mae awydd ein teirw mwyach—a'u neidio
   Nwydwyllt mewn cyfathrach
   Ar ben, cans tric diddicach
   Yw'r tiwbin o'r Felin Fach.

Gwallt Gosod

'Does fop fo ar dy glopa—i'w weled
    O'r un steil a'r d'wetha
   Rho fe ar tra fo eira
   Tyn e off pryd daw hi'n ha.

Iâr Fach yr Haf

Yn yr haf, yng ngerddi'r fro—wele'r wen
    Falerina'n dawnsio,
   Cyn hir bydd ei phlant â'u cno
   Yn y dail, ninnau'n diawlio.

Yr Orsedd
(Cyd fuddugol yn Eisteddfod Genedlaethol Abertawe, 1982)

Trilliw fflyd o hyd mewn hedd,—od iawn ŷnt
    O dan haul tangnefedd;
   Eisteddfod yw clod y cledd
   A'r hwd yw yr anrhydedd.

Y Gloncen

Ffroenau ei sniffer union—a duria
    I'r dyfnderoedd budron;
   Ni ddaeth atoch â'i rhochion
   Erioed hwch fel o frid hon.

Moliant i'r Pic-yp

Y pic-yp am dop y cae—a yrraf,
   Fy mheiriant diargae,
   Gan yfed myned y mae,
   Fflach eirias, off fel chwarae.

Caseg lwyd, bedair coes glau—a wibia
   Ar rwber bedolau;
   Malwod ei thylwyth, hwythau
   Yn y llwch yn ymbellhau.

I'r dim at reidiau amaeth—i'r cefen
   Rhoi cyfoeth amrywiaeth—
   Olew, tail, iete helaeth,
   Hwch neu lo, sache neu laeth.

Mawrygaf fel mae'r wagen—yn cario
   Carwr at ei feinwen,
   Gwae hon pan welaf 'gwenen',
   Boi go rydd yw mab Gaerwen.

Pan ddaw yr ennyd dawel—i minnau,
   Dymunaf gael dychwel,
   Na, nid mewn hers, ond mewn, wel,
   Pic-yp hyd step y capel.

Cwrw Cwm Gwaun

Y gwin sy'n help i ganu—ac oelio'r
   Gylet cyn pregethu,
   Mae fel hotel ymhob tŷ,
   Hotel a neb yn talu.

Tafod

Fflapyn o gig coch fflipant—yn arllwys
  Ei stwrllyd fynegiant,
 Gweniaith yw ei ogoniant,
 Gwlybwr ceg ei lwbricant.

Y Macsi (1970)
(—a ddaeth ar ôl y mini)

Y llynedd daeth llywionen,—o dani
  Dynes â dwy shwsen
 Daro, bois, mae'r byd ar ben,
 Rwy'n ffaelu gweld 'run ffolen!

Dannedd Gosod

Adios i'r gwreiddiau dig!—dyheaf
  Y daw cyn Nadolig
 Hwylustod dwy res blastig
 I ganu cân, i gnoi cig.

Y Wagen Sbwriel

Gwiw elor y gwehilion,—daw heibio
  I'th dwbyn yn gyson;
 Fe ategaf fod digon
 O le i ti yng nghwt hon.

Mewn Tafarn

Yn uchder hwyl, gwyliwch y drwg—hwnnw
    Nad yw heno'n amlwg;
    Tri gwael, da troi o'u golwg
    Yw'r ddiod, mynwod a mwg.

Bynnen

Prynais groeniach, fach o'r fen—haen o does
    O gylch dwy gyrensen!
    Ond pwp, ni chefais lond pen—
    Rydw'i eisiau tair dysen.

Miwsig Pop

Trydar y setiau radio—i'r ifanc
    Sy'n rhyw ryfedd gyffro;
    Os gwan yw ei fiwsig o
    Y gwir wendid yw'r gwrando.

Sospan

Bu oriau, gwlei, yn berwi—heb licwid
    Aeth fel blaces drosti;
    A rhoddais, pan samplais i
    Ginio cols, gnoc i Elsi!

Y Cadno

Asasin o liw sosej—yn gwybod
    Am hwyr gwb y pliwmej
    O'i farac ar drac 'da'r edj
    Daw yma i greu damej.

Pram

I'r angel, cawell springi—nes daw hwn
    I stad dechrau camu,
  Whîls a hŵd, hefyd handl sy'
  I dwt wâl had y teulu.

Y Diogyn

Diddig yw bywyd iddo—un diddim
    O nodweddion cadno,
  Osgoi am oes ei sgêm o
  Y rhy gaeth oriau gweithio.

Sioc

Chwaraeai'n iach â'r weier,—dihidio
    Ydoedd gyda'i offer;
  Ar ei faen mae'r stori fer—
  'RIP, no more power!'

Y Dyn Tew

Rhondyn anodd ei rowndio,—yn bwyta
    A'i boten bron bosto;
  Tyff yw'r lowt, ffarwelia o
  Â'n byd ni heb deneuo.

Brwsh

Coes go lew â blew i'w bla'n—i'r wisgers,
    Siwt neu'r esgid aflan,
  I'r danne', shime, gwallt Shân,
  I'r paent, y clos a'r pentan.

Y 'Topless'

Rwy'n edrych ar ran uchaf—morwyndod
    Mewn mireinder noethaf,
Wedi prwff o'r di-dop braf
Y diwaelod a welaf!

Y Glöyn Byw

Bwystfil o gaterpilar—ddaw o'i wy
    Ar wyrdd ddail y ddaear
I esgyn yn grysalysgar
I haul y nen yn blên wâr.

Y Dyn Tew

Mae'n drais i fynd mewn i'w drowser—daw ef
    Â'i dor Billy Bunter
Yn gwbwl gŵl, yn lo-gêr
Yn ei floneg, fel leiner.

Eira

Pan ddaw'r blisard i'r ardal—a'i graffics,
    Antics oriental,
Dodjo mynd o'i Daj Mahal
Wna'r hen drwy wyn yr anial.

Stopo Smoco

Gonest fy mwriad ganwaith,—damo'r hwyl!
    Dyma'r olaf artaith
Bwr dab o ŵr diobaith,
Yn tanio eto un waith.

Dic Jones

Yn ddibetrus, rhwydd batrwm,—llunia'i bill
    Yna bang fel myshrwm!
    Ein smart Risiart sydd fardd trwm
    Gwydderigaidd ei rigwm.

Y Beirniad

Os lluniaf saithsill linell—hwn a dynn
    Drosti awch ei sgrafell,
    Ac imi er ei gymell
    Ni all wneud unsill yn well.

Penbwl

Ef o wy y broga'i fam—yn y dŵr
    Yn flob du ar garlam
    Gynffonnog, igam-ogam
    Yw pet Jon yn y pot jam.

Banana

O'i rawd gam drwy'r stryd y gŵr—a syrthiodd,
    Heddiw swrth ei gyflwr;
    Menyw siop y ffriwt mae'n siŵr
    A ddinoethodd hon neithiwr.

Yr Anadleiddiwr

Os daw hap cawn ein stopio,—y Bobi
    Abal ddaw i'n smelo;
    Ni, daer yfwyr, cyn dreifio
    Cadwn y cwd yn y co'.

Eirwyn Ponshân

Pwy yw'r saer glew? Pwy'r ffraeth flewyn—yfai stowt
    Dan fwstatig gudyn?
    'Hm, ie wir,' Gwilym Eirwyn
    Oedd y tshap yn ei gap gwyn.

Enwog wron Talgarreg—hyfryd iawn
    Ei syfrdanol rethreg,
    Llên gwerin yw gwin ei geg
    A gŵyl Gwalia ei goleg.

Gelyn taeogion Gwalia,—enwog gyw
    Banc Shôn Cwilt a'r dyrfa;
    I godi hwyl, tonig da
    Mwstashen a rheims Dosha.

Tynnu Dant

Y pinswrn cam ni rôi damaid—o dwc
    I'r diawl dianghenraid!
    Cyn treio rhagor bu raid
    Insiwrio rhag bwtsieriaid.

Hen Lanc

Benyw nid oes i'w boeni,—helyntion
    Planta na drygioni
    Gwag siarad, gwg a sorri
    Nag un bos, fel rhyw gwîn bî.

Y Dyn Tenau

Yn fain ysgafn ei ysgog—try i'r tŷ
  O ru'r tywydd gwyntog,
  Storc o foi, strac fwaog,
  Daw, â i ffwrdd fel distaw ffog.

Yr Hipi

Ieuanc rebel, 'co'r abo—a'r gwallt hir,
  Gwyllt ei wedd yn smoco;
  Os daw yma'r pwrs, damo,
  Gwaith a wash clatsh bang geith o!

Y Briodas (Siarl a Diana)

Eich priodas, drych Prydain,—yper set
    Parasitig Llundain
    Ydych chwi, bâr crand a chain,
    Arafwch! Cofiwch Rufain.

Boed dreifio Carlo 'on course',—rhoed iddi
    Drwy'i dyddiau bob ffafors,
    A dim hen fisdeminors
    Neu Di fydd yn mo'yn difors!

Haul y byd ar freiniol bâr,—bali-hŵ
    Dydd o sbloet rodresgar;
    Diolch i drefn ein daear
    'Mod i'n un o'r werin wâr.

Wedi'r fatsh, teyrnas Thatcher—rydd hwrê
    I ddau reiol bartner,
    Dan y ffŷs cawn weld yn ffêr
    Holl wagedd Coron Lloeger.

Ffolant i Miss Casie Davies MA HMI

Casi aceri Caron
Yma'r wyf beunydd a 'mron
Sy'n glaf rhwng porth a stafell,
Maes a môr, a 'Miss' ymhell.

Yn dy ras dros wlad, arhô
Fireindeg wyrf i wrando
Ar gywydd rhywiog awen
At orau nod daer a nen.
I di MA, rhad yw 'mawl
Heddiw i'r adrodd rhaeadrawl
A rhu'r rhestr hir o storïau
A'r hen gân o'r un genau.
Ddiwyd fun, byddi hyd fedd
Yn sôn am agor Senedd,
(Pell yw mangre, rwy'n deall
Y naill un, agos bo'r llall!)
Cynferch ar flaen y confoi,
Colfen bant o'r Calfin boi.

Aitsh Em Ai heb batsh yw 'merch
A'm treisiodd â grym traserch.
Tw' cringoch to cywreingamp,
Ias o dân, dilysnod stamp.
Goleuedig ael lydan,
Annwyl wawl dwy seren lân
Uwch y bochau ebychus!
Bobtu swyn dy drwyn di-rus
A'r ddihafal, hardd ddwyfin, —
Allor i gwymp cenlli'r gwin!
Mesur? mae'n dasg amhosib
Mynwesol lais Wimens Lib.

75

Hyn i gyd. Ond nid wyt gall
I garu rhyw rôg arall.
Torraf gynlluniau'r Tori,
Pwy yw Hîth i'm cwympo i?
O roi wad i'r Ceidwadwr
Caf goron Samson rwy'n siŵr
A di-lol ddwyn Daleila
O'i afael ef a'i law iâ.

Ramantus hoffus Sapho,
Rwy'n addaw dod draw am dro
I de, ond cadno di-hast
Yw'r rhocyn 'gwely a brecwast'.
Pa gelwydd yw sgôr blwyddi
Symerset Hows! Mae'r setî
I gofleidio'r teg flodyn?
Arni dau yn caru'n dynn,
A phwy ŵyr nad i'w goffhau
O gyfosod gwefusau
Y dôi o iau 'fel y dur'
Atodiad i Gwmtudur!

Na wir, ofer fy rhyfyg,
Actio'r ffwl, creu pictiwr ffug;
Tynnu coes bert iawn Casi
Ydoedd fy nwyd addfwyn i.

Saif Henri fry'n daer ei fron
Yn rhagoriaeth Tregaron,
Pa werth diymadferthwch
A swyn y llais yn y llwch?

Ein dawn ni, paid byth mynd nôl
Tua'r fynwent derfynol.
Di o fatriarch dafotrwydd,
Tywynau'r haul iti'n rhwydd
Yn dy rym eto i dramwy.
Golda Meier gwlad a mwy
Ydwyd anfarwol fadam,
O Fynwy i Fôn hoewaf fam.
Hoff ffrwlen sy'n ffwr'whîlo
Dy gar nes bo'n mynd o'i go
A berwi heb oeri byth;
Da i Walia dy wehelyth,
Trosti hi trwy oes dy hynt,
A dewr angerdd est rhyngynt
Gloddiau dysg Gogledd a De,
Poethaist er mwyn y Pethe.

Genhades, eryres, rwyf
Fi o ddyled feddyliwyf
Ar dwng i deilwng dalu
I'r rhiain fawr, un a fu
Anadl iaith i'r genedl hon
Ac eli, 'Hwb i'r Galon'.

Y Bibell

(wedi darllen cywydd Dic iddi)

Gwir yw'r gair, o Oregon
Y daeth un o'm cymdeithion,
Er byr hynt, i'w gartre braf,
Hyd un aelwyd anwylaf;
Da oedd gweld y diddig ŵr,
Awenyddol fonheddwr
Yn llanw ei got, llawen gyw,
Er digariad y gwryw!

Daeth drwy'r âr â breiar brin
A'i phryd yn anghyffredin,
A bu iddo'n bersonol
—Ei dwyn im cyn mynd yn ôl.

Ces lwfer Tsecoslofac,
Teg gamp bîb, presant compact
'Da Dai Mor, stad Amerig,
Mirain a mawr yn y 'mhig
Ydyw'r rhodd loyw, nadreddog;
Hi'n llwyr roes i arall rôg,—
Boe â'i bill a'i bibellu
Yn gryf iawn, y gorau fu,—
Gyfle, a'r wag ei fawl roes
Yn fanwl i'm stof-einioes!
Rholiai'r eiriol arwyrain
Ail i dyrch nifwl y diain!
Ofer yw disgrifio'r rhawg
Y fargen, y Dydforgawg,
Cans nyddwyd iddi, bibell
Geiniaith nabl, ganwaith yn well

78

Ar fyrder, clywch bêr fyrdwn
Gŵr y grefft fu'n 'Agor Grwn'.

Oherwydd dawn ddansherus
Fawr y llanc a chofio'r llys,
Ar lw wyf rhag dweud rhyw lot;
Cyfri Dic o frid Acott
Y tec dewr, llawn tact y Yard,
Graff ŵr, pwyswr pob hasard,
A wnaf mwy, am weld fy mhîb,
Anunionbert 'frenhinbib',
A'i manion mor chwim yna
Gwau iddi dwym gywydd da.

Senith ei swyn, aeth â serch
Eilun enwog Blaenannerch.
Dyna dasg mynd, onidê
Dros yr andras o'r Hendre.
Mwy parhaed camp arawd cân
Hael athrylith i rolian.

Ffarwelio

(â Miss Ann Rees, Bryndewi, Llangrannog a hunodd 30 Hydref 1968 yn 81 mlwydd oed)

Bûm mewn dwys gynhebryngau
  Mewn capel ac mewn llan,
Ond ni fu un o'r dyddiau
  Yn hollol fel un Ann,
Pan ddaeth ei llwch i'w heddwch hir
I fynwes Llandyfrïog dir.

Haul llesg, a'r dail yn cwympo
  Ar fynwent hen y pant,
A'r afon ddistaw'n llifo
  Ger eglwys lwyd y Sant,
Yr oedd y darlun yno'n grwn
Yn ffarwél y prynhawnddydd hwn.

Y Glöyn Byw

Diymadferth brydferthwch—ar dyner
  Adenydd tawelwch;
  Wele ddail o eiddilwch
  A'u lluniau lliw yn y llwch.

Iâr dyner ei hadenedd—a'u lliwiau
  Llawen yn gynghanedd,
  Bob haf gwelaf yn eu gwedd
  Heulwen fy hen orfoledd.

Rhoes Duw'r wawr liwiau ar strae—hyd esgyll
  Lled ysgafn i chwarae,
  Mynd, mynd i'r ha fiwsig mae,
  Ffonteyn y craff antennae.

80

Anrheg o Stôl Odro

O'r dedwydd undydd rhoes amryw ffrindiau
Yn lowns y bwthyn haelionus bethau,
Ond er gogoniant yr holl bresantau
Y stôl hon erys a'i steil yn orau,
Ywen deg! gwelsom ein dau, yng nghrefft hon,
Siôn Rhydygweision ar dair o goesau!

Ansicrwydd

Deffro, a'r dydd yn mynd ar ei hynt,
Heulwen a chawod, eira a gwynt.

Goleuni, tywyllwch, y wawr yn troi'n hwyr,
Delwau ddoe heddiw'n diflannu fel cŵyr.

Geni, priodi, a marw i'r drefn,
Hau, cynaeafu, a'r cyfan drachefn.

Blagur a chwymp, gweld llanw a thrai,
Diflastod Rhagfyr a gorfoledd Mai.

Derbyn, a diolch am fara a gwin,
Bywyd yn bod y tu yma i'r ffin.

Er darllen y stori o glawr i glawr
Yr un yw fy nhrafferth gyda'r cwestiwn mawr!

Torri Llafur

Mae adeg torri llafur
  Fel arfer yn dod rownd,
A rhaid i ddyn ddihuno
  A rhoi pob peth yn sownd.
Dod allan â'r Milwaukee,
  Diogelu'r powl a'r ffan,
Y gyllell a'r tri chanfas,
  A'i oelio lawr a lan.

Dechreuwyd torri yma
  Dydd Llun ym mharc y Foel;
Roedd 'Derby' a'r hen 'Jolly'
  Yn symud fel dwy hoel;
Ond weithiau fe arhosent
  I gonio ar yr ŷd;
Ond nawr maent wedi dysgu
  Fod lein mewn iws o hyd.

Dôi ambell ysgub allan
  O'r peiriant wrth fynd 'mlaen
A'r gaffer yn stacano
  (Efallai'n groes i'w raen!).
Mewn sbel daeth te a tharten
  Yn handi iawn i'r cae,
A chladdwyd hwnnw'n deidi
  Gan ddau uwchben y bae.

Fe dorrwyd a stacanwyd
  Y cae i gyd mewn winc,
Er rhwygo'r canfas isaf
  A thorri'r ffan a linc.
Rhaid bwrw'n awr at ddyrnu,
  Os tywydd hyfryd geir,
A'r llafur fydd mewn eiliad
  Yn dwt o flaen yr ieir.

Cofio Enid

(Ar yr unfed awr ar ddeg, 3 Mawrth 1982 bu farw Mrs Enid Jones-Davies, yn 71 mlwydd oed. Arloesydd a chyn brifathrawes Ysgol Gynradd Gymraeg Bryntaf, Caerdydd. Gwasgarwyd ei llwch yng Nghwmtydu.)

Gwyliau Awst fu'n dwyn merch glên
i dai Ewythrod awen
cyn i amser gau llwybrau llên.

I'r unig fangre honno
fel dôi'r haf a'i awel, dro
dôi hi'n ysgafndroed yno.

.   .   .   .   .

A'r annwyl lwch draw'n ei le,
yn euro'r gorwel wele
haul gwylaidd dros Foel Gilie

i orffen y llun yn berffaith.
Holi paham yr eilwaith.
Milain yw'r gwynt. Mlaen â'r gwaith!

I gofio James Thomas, Hawenfa (gynt o'r Anialwch)
(Bu farw 3 Ionawr 1981)

Ein ffrind Jâms, dyna gamster—ar y cae
     Am droi cwys i'w dyfnder,
     Heno o'n byd huna'n bêr
     O dan ei thafell dyner.

Anghofio
(Parodi 'Cofio', Waldo Williams)

Un funud fach rwyf am i chwi fy ngwrando,
Un funud fwyn, tra'n adrodd ar fy hynt,
Rwy'n cofio am destunau anghofiedig
Ar goll yn awr o'r dyddiau ysgol gynt.

Fel ewyn bîr a dyrr ar dop y gwydyr,
Fel cân Meic Stifins sy'n troi rhai yn wan,
Mi wn eu bod yn galw'n ofer arnaf,
Hen bethau anghofiedig Cardi-gan.

Syms ac algibra, geometrig dasgau,
Atomau bychain ac icweshons mawr,
Y chwedlau cain am Sheiloc ac am Gesar,
Llenorion na ŵyr neb amdanynt nawr.

A geiriau bach y Lladin diflanedig,
Mensa, mensa, mensam, na'u dechreu hwy,
Neu Ffrangeg wedyn, yn 'petit le garçon',
Ond tafod nid oes gennyf iddynt mwy.

O! genedlaethau dirifedi ysgol,
A'u breuddwyd disglair, a'u presennol brau,
A erys wedi'r dysg a'r arholiadau
Ond stiwdents yn protestio a thristáu?

Nid mynych efo'r hwyr cyn mynd i'r gwely
Daw hiraeth am eich nabod eto im rhan,
Plant eraill ddeil, dros dro, mewn cof a chadw
Destunau anghofiedig Cardi-gan.

Y Lleuad

Hael wyneb o oleuni—yn y nos
   I do'r nen yn codi;
   Dywedaf hyn,—dodaf fi
Un diwrnod fy nhroed arni!

Y Ddwy Dderwen

Derwen-gam

Rhwng Llanarth a Llwyncelyn, a mewn o'r briffordd dar
Mae'r pentre bach Cymreigaidd a'r Saeson ar ei war,
Ar werth mae'r tai henffasiwn, a ninnau'n gofyn pam
Taw arian y gwenoliaid sy'n prynu Derwen-gam.

Mae'r Cardi'n ŵr cyfoethog, yn dreifio'i fotor swanc
A'r gwyfyn sydd yn llygru ei waddol sy'n y banc,
Ac ambell un rhy chwithig i siarad iaith ei fam,
Y rhai ddylasai achub dyfodol Derwen-gam.

Mae'r prisiau mas o reswm fel tân yn difa'r berth,
Ffarwél i'n hetifeddiaeth i rai na ŵyr ei werth,
Rhyw Sais ddaw ar ei wyliau â'i gar a'i gwch a'i bram
Na foed y stori honno yn wir am Dderwen-gam.

Boed Cyngor Ceredigion yn gweld y darlun oll,
Mae'n biti gweld Cymreictod bob dydd yn mynd ar goll,
O heno mlaen awn ninnau, fel un anniffodd fflam,
Gan ddweud wrth Gymru gyfan na chaiff y Dderwen gam.

Derwenlas

Cyn dod i Fachynlleth, wrth deithio o'r De
Ar hyd yr hewl dyrpeg, fe basiwch drwy le
Sy'n llwyd braidd ei olwg, ac yn Nerwenlas
Mae'r mwg drwy'r shimeie drw'r dydd yn dod mas.

Ewch drwyddo a'r heulwen hyd gyrrau y fro,
A heibio i'r tai'r ochor ddeau i'r tro,
Er bod chi heb siaced a'r tywydd yn gras,
Mae'r mwg yn golofnau drw'r dydd yn dod mas.

A ydyw'r lle'n oerach nag unman drwy'r byd?
Neu llaith anghyffredin yw'r rwmydd o hyd?
Mae pawb drwy y pentref ar dân yn cael blas
A'r mwg trwchus, tywyll drwy'r dydd yn dod mas.

Mae'n siŵr fod 'na reswm i'r tân sy mhob tŷ
O wythnos i wythnos a hynny bob dy',
Nid af mewn i ofyn, byddai hynny'n beth cas,
Rwy'n hoff o weld mwg Derwenlas yn dod mas.

Banc y Lochtyn

Banc y Lochtyn o'r dechreuad
   Saif fel cawr disymud, crwm,
Bawd ei droed yn mentro allan
   Tua'r tonnau nerfus, trwm.
Gwelodd win yr hwyr fachludoedd
   Yn goreuro'r dyfnfor maith,
Cyn i fod y pell orffennol
   Gychwyn ei ormesol daith.

Tawel hafod i'r ehedydd
  A fu'r eithin ar ei ben,
Cyn ei esgyn i glodfori
  O lwyfannau clir y nen.
Yn y rhedyn bu'r cariadon
  Oriau'r haf yn sibrwd serch,
Cyn i'r estron dros Glawdd Offa
  Ddyfod â'i gynlluniau erch.

Wolsiai'r môr o gylch ei seiliau
  I orcestra'r pedwar gwynt,
Crwydrai'r cadno a'r gwningen
  I'w gilfachau ar eu hynt.
Nofiai'r morfrain a'r gwylanod
  Ar y bae dan greigiau'r banc,
Cyn dod undyn i dresmasu
  Heibio i'r ŵyn dros dir eu pranc.

Heddiw, wele ddrud rocedi
  Ffatri Aberporth gerllaw,
Gwŷr Tŵr Babel eto'n gwylio
  Pob symudiad oddi draw.
Dyna'r siwpersonig ergyd,
  Yn cynhyrfu gwlad y dydd,
Ac arfordir Cymru'n crynu
  Pan ollyngir hon yn rhydd.

Pwy yw'r rhain sy'n y Landrofer
  Yn chwyrn-ddringo'r rhuban tar
Yn eu cotiau gwlân botymbren
  A'r llythrennau ar eu gwar?
Dyma weision Leisa Winsor
  Ddônt rhwng wyth a naw i'r lle,

Ac os bydd yn dywydd garw,
　　Byddant gatre 'mhell cyn te.

Cymwys yw i wŷr mor bwysig
　　I gael rŵm sy'n yp-tw-dêt,
Trydan, ffôn, cadeiriau esmwyth,
　　Basn molchi a laf sidêt.
Gan mai'r rhain yw'r gwybodusion,
　　Bodlon wyf i dalu'r tacs,
Technolegwyr craff yr owtpost
　　Geidw'r oll rhag mynd yn rhacs.

Drudfawr ydyw'r sini-camra
　　Â'i olygon tua'r glas
Ac mae'r intercom i'w glywed
　　Rhwng y ddeule o'r tu fas.
Ac mae'r lampau weithiau'n llachar
　　Yn y plas hyd ddyfnder nos,
Da fod rhai o leia'n ceisio
　　Diogelu Gwalia dlos.

Pam mor dawel yma heddiw?
　　O, peth ie, y seithfed dydd!
Ond a yw hi'n saff ei adael
　　Dros y Sul fel hyn yn rhydd?
Nid yw Mao na'r cymrawd Breshneff
　　Yn addoli yr un Duw,—
Beth os penderfynant heddiw
　　Ein bod i farw a nhw i fyw?

Banc y Lochtyn o'r dechreuad
　　Saif fel cawr disymud, crwm,
Heddiw caiff ei gefn ddadflino
　　O'r landrofereiddio trwm.

A chaf innau droedio'i ysgwydd
Mewn llonyddwch wrthyf f'hun,
Ac edmygu'r wlad o'm cwmpas
Cyn daw eto'n fore Llun.

Englynion ar achlysur anrhegu Miss Megan Bowen SRN SCM
(ym Mhontgarreg 11 Mawrth 1978 ar ei hymddeoliad fel nyrs y plwyf)

Prynhawn yn llawn llawenydd—ydyw hwn,
  Daeth ein morwyn ufudd
O'i chaledwaith i'w chlodydd
Ac addas siec iddi sydd.

Nyrs Bowen roes ei bywyd—yn onest
  Mewn gwasanaeth hyfryd,
  Y rhai bach ddygodd i'r byd
Tra'n cofio awr tranc hefyd.

Ei hact oedd fel injection—ei dwylo
  Oedd ein dail prisgripshon,
  Rhyfeddol air o foddion
A phils ar whils ydoedd hon.

Talar

Ar fin y cae terfyn cwys—yn denu
  Pob dyn iddi'n gymwys;
  'N ara daw o'r gyrru dwys
Hyd ei harffed i orffwys.

Fy Mhlentyndod

Dros orwel pêr ddyddiau dewch nôl hyd y llwybrau
I fro'r pedwardegau fel hyn ar eich hynt,
A ratlan Herr Hitler deyrn heger a'i fomer
Bron llwgu gwlad Lloegr; yr hen amser gynt.

Roedd myned i waered i'r ysgol gan gerdded
Dan awyr agored i'r ened yn braf,
Gogoniant y gwanwyn a'i arlwy'n yr irlwyn,
Boreau clir, addfwyn, yn dirwyn i'r haf.

Pa raid i neb redeg i gyrraedd Pontgarreg?
Hamddenol bob adeg milltiroedd y daith,
Letisha, Miss Lewis, E. R. Jones, Andrew Dafys
A geiriau cariadus yn gosod ein gwaith.

Yn daer dôi'r blinderau, pob peswch heb eisiau!
Tanseilio'r tonsiliau a minnau ond saith,
Y doben felltigaid, fflameshwn y llygaid
A mwstwr y mastoid, a mwy boenau maith.

'Doedd aelwyd fwy diddan, dim motor i drampan
Na chloch ffôn i foddran, dim trydan na 'bocs',
'R hen organ yn corco tra 'nhad arni'n taro
Creshendo llawn Sandon wrth bwmpio'n ei glocs!

Mam yno'n amynedd a Shors ar ei orsedd,
Fy nghinio'n gynghanedd a'r unwedd fy nhe,
Rhoi Darbi'n y gambo, fe âi'r forwyn honno
Rhwng godro a chlwydo'n ddi-ffws i bob lle.

Cyd-dynnai 'da Joli wrth redig a llyfnu
Cyn hau, cynaeafu y gweiriau a'r ŷd,
Cyn oes rhuo'r tractor, pedoli'n anhepgor
'Da Jac gof Brynifor yn bropor bob pryd.

Rwy'n cofio mwyn ddringo y Suliau riw Silio
Cyn glanio'n y Gogo ar bwys clos Caer-llan,
Tra'r ffeirad yn sharad hen iaith fy nechreuad
'Doedd Sais nac ynganiad ei wlad yn un man.

Yr hydre, awn weithiau dros lonydd y llethrau
I dud y cyndeidiau i lawr yng Nghwm-sgog,
Gan weld y cwningod a'r nadredd mewn syndod
A changau'r ffrwyth parod yn diosg eu clog.

Ond co' mwy a'm cymell hyd ramant clyd fantell
Diofid y gafell mewn storom a'i stŵr,
Yn awr hoe y cread ni ddaw'r un cymeriad,
'Does ddôr ŵyr agoriad i guriad un gŵr.

Ond yr hud cynnar wedyn nid yw ond munudyn,
Orfoledd hirfelyn! aeth plentyn yn llanc,
Ond dyddiau dedwyddyd er henaint yr ennyd
O hyd ydyw bywyd ar dyddyn y banc.

Herod

Unben croes i'r Mab yn y crud,—rhyw ddiawl
    Heriai Dduw'r cyfanfyd;
  Lle bo tiriondeb mebyd
  Mae cysgod Herod o hyd.

Mae gwaedd fel ym Methlem gynt—i'w chlywed
    Uwchlaw cri'r dwyreinwynt;
  Ffoi eto i'r Aifft er eu hynt
  Yw rhan y tri ohonynt.

Y Ffermio Modern

I weithio'r fferm, amaethwr ffôl
Âi'n ôl i'r ffordd sy'n cilio,
Hen oes y cobs yn sleisio cwys,—
Paradwys y paredo,
O'r ffws daeth bws, ac aeth i'w ben
A joien i enjoio.

Ar ras mae off mewn motor smart
I'r mart ddydd Llun i starto,
O rannu hwyl nid arwain ef
Tuag adref at y godro,
Yn byw 'high life' mae'r bobol hyn
Sy'n fformyn bras y ffermio.

Fe ddaeth siec laeth i'r clocsog glic,
A'u colic yw ei hala,
Os incwm tacs roes un gym-tw
Eu llw yw dweud y lleia',
A nodi fform â'u tric di-ffael
I gael y geiniog ola'.

Daw'r llaeth, ein maeth y dyddiau 'ma
O'r da fel llif yn diwel,
O'u hel i'r rêp fe welir rhai
A'u bagau hyd eu bogel,
Yn rhad y cawn ryw frid o Kent
Trwy batent tarw potel.

O'r ICI ceir tw' i'r sêrs,
Maniwers rhag siom newyn,
O gynnar roi trwch gwyn o reis
Yn neis dros ryw hen bisyn.

I lo a buwch daw 'early bite'
Yn breit a llawn o brotin.

Daw hwyl i ieir i ddodwy lot,
Daw plot i wneud 'deep litter',
Eu rhoi a'u cau tu fewn i'r cwb—
Un clwb i bigog gleber;
O'u dodwy'n wyllt daw wyau neis
O seis y 'flying saucer'.

I gofio ffrind—Eric Tŷ Hen
(Fe'i claddwyd yn Eglwys Penboyr yn 41 oed, 1 Hydref 1981)

Yn y llan ar brynhawn llaith—daearwyd
    Eric fy nghydymaith,
  Rhyfedd rhoi clo ar afiaith
  Awen Tŷ Hen, ganol taith.

Cofiai englynion cyfan—a'u hadrodd
    Yn rhaeadrau arian,
  Emynau, geiriau rhyw gân
  A ddeilliai'n ebrwydd allan.

O'r alwad gan farwolaeth—ym Mhenboyr
    Daw mwyn bwl o hiraeth
  Am eli dy gwmnïaeth
  Felly, ffarwél gyfaill ffraeth.

Treio'r Test

Rhyw ddwarnod ar ôl cinio, 'ma wisgo'n weddol smart
I fynd am Aberteifi, ond nid â llo i'r mart
Ond i lawr am wâc go bwysig mewn car i dreio'r test
A lwmpyn megis twmplen yn gwasgu dan fy mrest.

Mi leddais farlat graenus cyn hyn a'i blufio'n lân
Gan feddwl byddai'r tester, o'i weld, yn fwyn ei gân,
Prynais ddwy botel whisgi a'u rhoi'n y cybi-hôl,
I'r tester un, a'i phartner i fi ar ôl dod nôl.

A dyma gwrdd y pennaeth yn eistedd ar ei sît,
Ac wedi ei fodloni fod popeth yn gomplit
Daeth allan, a dechreuwyd o ddifri ar y praw
Mewn car annisgrifiadwy, a hithau'n dod i'r glaw.

Ffarweliais yn hyderus â Jac (ddaeth lawr gen i)
Darllenais indecs nymbyr rhyw gar, AZ 23.
Rôl gwisgo'i spectal gorniog roedd snwcs fel gwdihŵ,
Ond sbecs sy'n rhoi awdurdod ar berson, medde nhw.

A rhaid fu hwpo'r cerbyd gan rywun oedd wrth law,
A dyma dân i'r satan, a rhoddodd naid fan draw,
Fe dowlais lygad mochyn i'r chwith o'm hisel sêt,
A'r Sais â'i fform a'i feiro fel mynach o sidêt.

Roedd reiets bendigedig ym mol yr Ostin bach,
A'r mwg tu ôl a dystiai nad oedd ei gylla'n iach,
Roedd trin y llyw sigledig yn orchwyl anodd im,
Roedd yn rhaid ei rowndio ddwywaith cyn cyffre'r whils bla'n ddim!

Bûm o fewn trwch un weffer i fwrw cwt rhyw fan,
A gwelais ei pherchennog â'i ddwrn yn gas ar lan,
'Bydd stop, mas law, ar unwaith,' dywedodd boe'r mwstas,
Ac fel 'ny bu a'i drwyn e fel omlet yn y glás.

Ni chymrwn fawr o sylw ymhle roedd y wheit lein,
Ma' honno'n burion, dwedwch, pan fo hi'n dywy' ffein,
Ac nid oedd sebra crosin yn unrhyw ofid chwaith,—
Pwy fentre groesi dwedwch, a ni fel hyn ar daith?

I'r chwith a'r dde'n ddiddiwedd dywedai ef am droi,
A finne'n ceisio cofio'r cyfarwyddiadau i roi.
Troi'r llaw yn anticlocwais, neu'i rhoi hi mas yn strêt,
Ond 'doeddwn i, rwy'n ofni, yn ddigon yp-tw-dêt.

Fe groesodd menyw joli fel shot o flaen y car
Disgynnodd gyda'r blowsus yn ffenest shop y Star,
Es dros ddau gi go flewog ychydig tu draw'r Paf,
Ac medde'r dyn, 'Considereshon, indid, iw dw not haf.'

Coronwyd yr achlysur drwy holi'r heiwei côd
Am draffic leits a signals, am seins a wan we rôd,
Ac yna'r geirie diflas, 'Wel, syr, iw haf not pasd',
Fe yw rhacsyn mwya Pryden, i fi, ond pawb a'i dast.

Daeth Jac yn llawn parseli a'i gap yn go bell nôl,
Gofynnodd 'Wel sut aeth hi?' dywedais 'Dim at ôl!'
Ac yna ychwanegodd 'Na gwic yr aeth dy ffrind',
'Tae ti'n y car 'ma gynne, se tithe'n falch ca'l mynd!'

Bûm ddigon twp i gwato y barlat yn y gwt
Cyn cychwyn ar y treial, ni wn yn hollol shwt,
Ond pasio'r praw neu beidio, nid oedd y niwdist 'no,
Ar ôl y jyrcs ofnadw, mynd mas tu ôl wnaeth o.

Mi grafes siec o rywle i dalu'r blincin praw,
Dwy L o hyd sy'n hongian gan fagu trwch o faw.
Ond os af eto i dreio, fe ddwedai wrtho'n strêt,
'Os nad wy'n paso heddi, dyfaru wnei di, mêt!'

Cofio'r Capten Jac Alun
(Bu farw 1 Awst 1982)

Eleni Gŵyl wahanol—ydoedd hi
 Heb dy ddawn deuluol,
 Ein bardd-Gapten hamddenol
Dros y don hon ni ddoi'n ôl.

Ti yn grwt yn y Gaer wen,—'JAJ'
 O hyd ar y styllen,
 Gweld traethell bell draw uwchben
Yr heli, porth yr heulwen.

O'th stôr yn cofio'r cyfan—o droeon
 Gwledydd draw mor ddiddan,
 A'u hadrodd er eu hoedran
Hwythau'n fyw a thi'n y fan.

Fe holwn a dyfalu—hunanol
 Ddynionach a barnu,
 Gwewyr unig er hynny
Gwirionedd y diwedd du.

Oed angau codi angor—a hwylio
 Am dawelwch goror
 Tir na N'og mae'r marchog môr,
Gwae celf, nyth wag yw Cilfor.

I gofio ei wraig Elena
(Bu farw 22 Tachwedd 1981)

'Leni blin heb Elena—yr aelwyd
 Dros yr Ŵyl draw yna,
 Ond bydd gwin hoff y coffa
Ar y dydd yn gysur da.

Eira Wyth Deg Dau

Â grym fel Goleiath, daeth eira yn dwmpath
Yn sydyn ar Sabath y trydydd ar ddeg,
A'r awel o'r dwyrain dros gaeau'n ei gywain
Gan ubain a llefain a chwythu o'i cheg.

Y preiddiau yn crynu, bron methu anadlu,
'Da'i gily'n cysgodi ynghanol y fflŵr,
Y gath yn carlamu i'r sgubor i lechu
A'r ieir wedi'u dallu, bron sythu mae'n siŵr.

Roedd llechi yn hedfan yn chwilfriw i bobman
Dan ergyd hen organ galargan y gwynt,
Y deri yn cwympo'n y cwm o'u diwreiddio,
Tali-ho! Clyw'r tornado drwy'r fro ar ei hynt.

Dim trydan i'r rhewgell na gwres mewn ystafell,
Dim smwddiwr na thegell, dim pŵer i'r tanc,
Dim golau i ddarllen na godro'r hen Seren,
Dod mas â'r ganhwyllbren fu raid i'r hen lanc!

Dim pobydd, dim cigydd, dyn llaeth, llythyrgludydd,
Mor rhyfedd yw'r tywydd sy'n dod i'n tristáu!
Dim waco, dim ffonio, ar Dduw rwy'n gweddïo
Na welir byth eto luwchfeydd Wyth Deg Dau!

Eira

O'i stŵr berw, mor ddistaw'r byd!—a'i lonydd
   Gerfluniau dros ennyd,
  Iasoer gynfas, awr gwynfyd,
  O! na fai'n aeaf o hyd.

Y Tonsils

Fe ddwedir bod defnydd i bopeth
  Sydd gennym o'r clopa i'r tra'd,
Y breichiau, y dwylo a'r byse,
  Y sgyfen y galon a'r gwa'd.
Y cluste, y llyged a'r tafod,
  Y boche, y gwddwg a'r trwyn,
Rhai'n fewnol a rhai yn allanol,
  I gyd, medde nhw, er ein mwyn.

Pa ddydd we rhyw boen yn fy ngwddwg,
  A hwnnw yn whyddo fel pêl,
A finne yn byw ar fwyd meddal,
  Fel cystard a choffi a mêl.
Dyma fynd at y doctor a hwnnw,
  A ddywedodd yn blwmp ac yn blaen
Fod yn rhaid i'r tonsils ddod allan,
  Cyn mynd lawer pellach ymlaen.

A dyma'r diwrnod yn gwawrio,
  Mynd lan tua'r sbyty fel tân,
A mami a dadi wrth f'ochor,
  Yn gwylio pob peth we'n mynd mlân.
Ces fy rhoi yn y gwely, a'r nyrsus,
  A'r doctors yn casglu fel clêr,
Mewn oferols gwyn fel angylion,
  Dim ond fi oedd yn edrych yn flêr.

Cyn hir ces fy rhoi ar y troli
  A mynd, fel ar drip Ysgol Sul,
I'r theatr fawr, tra rown innau
  Yn dala fy nerfau fel stil.
Yng nghanol yr offer diddiwedd,
  A'r syrjon â'r menyg a'r masg,

Dechreues ofidio na welwn
  Nadolig, ta beth am y Pasg.

Ond dyma ias hyfryd o'r diwedd,
  A minne 'yn nofio mewn hedd',
Mae geire fel 'na mewn rhyw emyn,
  'Ac angau dychrynllyd a'r bedd'.
Ond ofer yw siarad fel yna,
  Dihunes 'run diwrnod yn fyw,
A'm gwddwg yn llosgi fel coelcerth,
  A holl dwrw'r lle yn fy nghlyw.

Ni theimlwn fel byta'r un bripsyn,
  Nac yfed diferyn o ddim,
Fe deimlwn mor sâl nes bron llefen;
  Ond heddiw rwyf eto mewn trim
I ganu ac adrodd i'r dyrfa
  A'r geiriau yn gywir eu sain,
Pwy ddwedodd fod diben i bopeth,
  A finne heb donsils, myn diain!

Rhosyn

Bataliwn o betalau—gylch ar gylch
  O wawr goch neu olau,
  A rhyw sawrus drysorau
  Yn wefr haf i'w goron frau.

Y Sw Sy 'Co

Pa ddydd fe brynes fuwch a llo
Yn gwmni i'r iâr a'r goco-go;
Ac i'r mab hyna Shetland poni
Oedd fel rhyw fwydyn o aflony';
Roedd gennyf fochyn du yn barod,
A'r wraig sy'n ffido'r bwdji a'r pysgod.
Mae yma hefyd gwrci a chath
A chi sy'n heliwr heb ei fath,
Heb sôn am ŵydd a dwy gwningen,
A chlêr a dwy neu dair gwenynen.
A dafad swci yn yr ardd
A'r barlat â'i ben ar slant fel bardd.
Yn rhwyd y corryn mae'r gylionen,
A'r gnocell sydd yn pwnio'r onnen.
'Da'r wawr o'r nen clywch hedydd bach,
A thros y banc daw'r cadno'n iach,
A'r mochyn daear,—ffeirad plwy,
A ddwgodd hwyad dew neu ddwy.
O'r hesg fe gwyd y gïach chwim,
A ger y llyn mae'r crechy slim,
Mae'r broga slic yn neidio draw,
A iâr y dŵr yn ffoi mewn braw.
Cân deryn du yn llwyn y clos,
Ond gwdihŵ sydd yma'r nos.
Mae'r slimyn bacwn fry yn hofran
A gyda'r nos daw'r draenog allan.
Dewch ma'n y gwanwyn pan fo'r brain
Efo'r gwylanod yng nghwys Parc Llain.
Ar ddydd o haf clywch eco'r gwcw
Tra gwibia'r wennol i'w nyth acw.
Hen guryll llwyd fel delw fry
Yn gwylio'r llygod yma sy'.

Mae'r pïod yn lladrata wye
A'r sguthan hithe'r tywysenne.
Ar ddiwrnod twym daw'r neidr mas
A'i 'gwas' fel helicopter las.
Fel Cardi'r wiwer guddia'r cnau,
Mae'r sgwarnog dros y cae'n pellhau.
Yn lloffa'r sofol dacw'r petris,
Holl liwiau'r ffesant sy'n niferus.
Daw drudwy'r gaea'n filfil nifer,
A'r cornicyllod pan fo'n wêr.
Ond nid oes gennyf arth na llew
Nac eliffant afrosgo tew,
Babŵn, na chwaith jiraff hir-wddwg
Na pharot gyda'i big fel bilwg.
Fe fydde'r rhain yn peri trwbwl—
Ble bydde lle 'da fi i'r cwbwl?

Y Wiwer

Cochen y ceinciau uchel,—yn y dail
 Ymgnawdoliad awel,
 Drwy'r hydre' i'w hendre'n hel
 Digon i'r pantri diogel.

Comed o inferted coma—acw'n dwyn
 Cnwd y wig i'w storfa
 Dan y gwŷdd lle'r ymguddia
 Yn dwym rôl dros dymor iâ.

101

Fy Mro

Tafell o Aberteifi—a hafan
   Lle cefais fy ngeni,
   Minnau ar drum ohoni
   Ger glan y gwasgarog li.

O'r Gaerwen ar gwr unig—caf fy hwyl,
   Caf fywoliaeth ddiddig,
   Ac yna ambell ganig
   Wnaf yn rhwydd o gylch fy nhrig.

Cwmtydu'r cwmwd hudol,—mae'n rhimyn
   O ramant naturiol;
   Hithau'r heniaith werinol
   Yw rhin dysg ei bryn a'i dôl.

Daw mawredd holl dymhorau—natur hen
   Yn eu tro i'w herwau,
   Wedi'r gwys daw'r og a hau,
   Tyfiant a molawd hafau.

Hen nwyf y cynaeafau—aeth ymaith,
   Daeth yma beiriannau,
   Ond hylaw ŷnt i leihau
   Swae hir llafurus oriau.

Foreol awr o Fai, a'r wlad—yn nhw'
   Ei newydd ddeffroad,
   Rhydd ehedydd o'i godiad
   Felys dôn o'i nefol stad.

Edrychaf o'm maestir uchel—ar ffin
    Glir a phell y gorwel,
    Tywys hyd lwybrau tawel
Gwylltiroedd y cymoedd cêl.

Adfeilion a diofalwch—anial
    Lle bu mwyn weithgarwch,
    Sugnodd lle'r difaterwch
Grefft a'i llais i grofft y llwch.

Nyddir y cynganeddion—ar ei hyd
    Mewn brawdol ymryson;
    Cartre'r Cilie fu calon
Doniau y nwyd union hon.

Ond â ei holl do ieuanc—dan eisiau
    I'r dinesig grafanc,
    Ni ddaw bun i hedd y banc
Na melyslais chwim laslanc.

Gwasgar haul, pan gwsg, ar heli—lewyrch
    Ei waed—liwiau tanlli,
    A daw hael, hyfryd eli
Yr awel hwyr o'r clir li.

Teyrnged i Mari James (Swyddfa'r Post, Llangeitho)

(yn Theatr Felinfach, 17 Hydref 1980)

Mawrygwn Mari Iago,—hi fatriarch
    Dafotrwydd Llangeitho;
  Yn Felin Fach, cyflawn fo
  I hon ein teyrnged heno.

Heno cawn glywed hanes—am ei hynt,
    Ramantus Gymreiges,
  Ni fu erioed fwy o res
  O ddoniau gan un ddynes.

Dynes â'r lle'n dihuno—ar unwaith
    Lle ceir hi'n perfformio,
  Ei thonig uniaith yno
  Mor ddifyr nes tynnu'r to.

Tynnu'r to wna hi â'r tân—yn ei llef,
    Heulwen llys a llwyfan,
  Weithiau ar goedd ffraeth yw'r gân
  A dyrr o'i thafod arian.

Tafod arian gwasanaeth,—a hwnnw
    Bron o dan reolaeth,
  I'r ddi-hid oes ddi-wraidd daeth
  I hyrwyddo llyfryddiaeth.

Llyfryddiaeth nid llafur iddi—yw hynny,
    Ond mwyniant hyfforddi,
  Â'i holl nerth, trin llên wrthi
  A thwym o hyd ei thîm hi.

Y mae hi (a bydd mi wn)—â'i henaid
    Dros yr hyn a garwn,
    Fenyw graff ar fin y grwn,
    Rhagot, dy gwys fawrygwn.

Cofio Jacob

Y mawr hwyl a'r hiwmor iach—a dorrai
    Drwy'r dyfnderoedd tristach,
    Llais gwerin, nawdd ei llinach,
    Cariad i bawb, Cardi bach.

Gŵr â iaith ardal Tregro's—yn llifo'n
    Rym llafar, diaros,
    Uniaith awen a theios,
    Addoldai, neuaddau'r nos.

O'i 'dramp' daeth adre i'w hun—yn y 'wlad',
    I'w chofleidiol briddyn;
    Hynod wae yw cofio dyn
    Y gair digri â deigryn.

Cyfarchion i'r Prifardd T. Llew Jones

(yn Neuadd Coedybryn i ddathlu ei gadeirio yng Nglynebwy 1958)

Gwelwn ebol Glyn Ebwy—y Llew braf
   Yn ennill bri fwyfwy,
  Rhoes ei ganiad clodadwy
  Ar ein map Goed y Bryn mwy.

I'w feddiant daeth celfyddyd—ail i berl
   I'w barlwr bach hyfryd,
  A 'thrît' yw cael 'thirty quid'
  Yn lwfans 'da'r stôl hefyd!

Yn y rwsh y bu'n brwsho—torri'i wallt
   Rhoi ei watsh i weithio,
  Prynu siwt, fel prins âi o
  I'w hyderus gadeirio.

Hir oes i Lew'r Ymryson—Llew y sgrin,
   Llew'r sgript a'r penillion,
  Hwn yw Llew pob cwmni llon
  Yn awr Llew Awdl Caerllion.

Cyfarch T. Llew Jones, Bardd Cadair Caernarfon 1959

Lo! the majestic Lion—went to hunt
   Into old Caernarvon;
  From three wags came a firm throne,
  Piles o' cash plus a cushion!

Y Fesen

(Buddugol yn Eisteddfod Genedlaethol Llanrwst [1951] i rai dan 18)

Ffrwyth hoff o wres yw'r fesen,—o'r egin
    Daw'r frigog, hardd dderwen;
    Cwpan ffurf capan i'w phen
    I segur foch yn seigen.

Croeso'n ôl i D. G. Morris, Caerwedros o Oregon U.D.A.

Rho dy law lanc brawdol, iach—o gyrraedd
    Goror dy gyfeillach,
    Dihengaist o fôr ehangach
    Yn ôl hyd fan dy wlad fach.

Aethost â'th ddawn afiaethus—o Drefach
    Draw i fyd mor ddyrys,
    Rôl hwylio bro'r 'ocean breeze',
    Wyd mwy wron, Dai Morys.

Moriaist am ffin Amerig—hyd erwau
    Y dyfnderoedd unig,
    Newid braf oedd mowldio brig
    Helyntus yr Atlantig.

Sut hwyl fu ar orchwylion—ar ddaear
    Ddieithr fferm yr estron,
    A luniaist di englynion
    Penna'r gamp yn Oregon?

A'r ffermio sut berfformiad—ddaw o law'r
    Treiddiol Ianc a'i siarad?
    A welir gan y deiliad
    Steil a stynts di-ail i'w stad?

Y Gwys

Drwy y tir â'r aradr torraf—gyson gwys
 Yn y gwyrdd otanaf,
 A than gwys maith hun a gaf
 Rhyw ddiwrnod, â'i phridd arnaf.

Nyth y Wennol

Ôd y wennol sy'n dwyno—y parlwr
 Purlan lle rwy'n godro,
 O'r delfrydol le i frido,
 O'r tŷ haf dan lechi'r to.

Rwy'n fodlon, a chaiff lonydd—i hwylio
 I'w haelwyd fach ddedwydd,
 Er y sarn a'r herio sydd
 'Da dynion diadenydd.

Y Dderwen

Is ei dail yn fforest haf—ger ei phren
 Garw a phraff myfyriaf;
 Ochrau gwydn ei charchar gaf
 Yn dynn rhyw ddydd amdanaf.

Mam

Serch ddolen er fy ngeni,—ffyniannus
 Ffynhonnell daioni;
 A mwy rhof hyd ei marw hi
 Ddyddiol anrhydedd iddi.

Dafydd William James

(Mab Gareth a Marjorie James, Deufor, Aberporth, 12 oed a gollodd ei fywyd trwy ddamwain ar drên ar daith ysgol i Barcelona, Sbaen.)

Awr sydyn drist; dyna dro—fu difa
    Dafydd â'i drosglwyddo,
  Y tlws grwt i lys y gro,
  A'i orgynnar gau yno.

Aeth o'i aelwyd i'w daith ola'—a'i drem
    Draw am Barcelona,
  Enbyd dwyn y bywyd da
  Oedd o'i flaen, ddoe, fel yna.

Ar bell hynt, gwae rheibio llanc—a'i gyrchu
    I'w garchar diddianc,
  Gwae dyfod i'r gwaed ifanc
  Ar anwar drên awr ei dranc.

Er beio trefn fawr bywyd—er holi
    Pam y greulon ergyd,
  Ni all bedd Ebrill y byd
  Guddio deuddeg ddedwyddyd.

Eithin

Hug ir, finiog ar fynydd—yn nythle
    Cathlwr yr wybrennydd;
  A phêr sawr myrdd goffrau sydd
  Ym Mai lwyn y miliwnydd.

Englynion Coffa i Verdun Thomas, Ffynnon-wen

(Hunodd Chwefror 1961. Fe'i claddwyd ym mynwent Eglwys Dewi Sant)

Ffein iawn ŵr y Ffynnon-wen—sy o dan
   Y ddi-stŵr dywarchen;
   Arwr llu, storïawr llawen
   Aeth i'r llwch, daeth awr y llen.

Triw bartner, ffraeth gymeriad—boe hynaws
   Arbennig ei drawiad,
   Deall ei ymadawiad
   Anodd yw, yn ein pruddhad.

Aeth mewn afiaith mwyn, ifanc—hyd wely
   Dwylath, pridd diddianc;
   Canol oed a sionc iawn lanc,
   Digrifwr mewn llwyd grafanc.

Dawn ynghau, Verdun yng nghôl—Dewi Sant
   Mewn dwys hun orffwysol;
   O'i ddwyn i'w hedd ni ddaw'n ôl
   O'i orwedd cynamserol.

Llun fy nghaseg olaf

Mae'r llun a saif mor llonydd—yn goffa
   I'r hen geffyl ufudd;
   Am oes llawforwyn meysydd
   Yng ngwyrddlas deyrnas y dydd.

I gofio S. B. Jones

Galwyd ar un o Gilie—i'r dalar,
 I'w dawelaf cartre,
 Mae'n boen gweld y man bu e'
 Yn rhwyg eglur a gwagle.

Mawredd ar gamau araf,—athrylith
 Yr hwyliau iachusaf,
 Gorff annwyl bedd Gorffennaf,—
 Dyna chwith, ei weld ni chaf.

Yn y llain ymhell heno—disymud
 Yw Seimon, ond eto
 Mae'i orffwys gerllaw Marffo
 Ei annwyl fan olaf o.

Mynegbost

Hewl—arwydd a falurir,—llw yw hyn
 Fod y lle a enwir
 Yn oer gelwydd tra gwelir
 Geiriau'r Sais hyd gyrrau'r Sir.

Buddugoliaeth Llanelli 9 Seland Newydd 3

Hir oes i'r sospan, hwre—Llanelli
 Enillaist fel chware,
 Ebolion Duon y De
 Wastrodwyd ar y Strade.

Y Cloc

Yn bennaeth ymhob annedd—mesura'r
   Amserau â'i fysedd,
   Gan wau'n araf edafedd
   Yr oriau hir ar ei wedd.

Anweledig eiliadau—yn dirwyn
   I'r diaros ddyddiau,
   Mawr ei frys, dengys mor frau
   Yw deunydd fy myd innau.

Pedol

Cododd oged Cae'r Fedel—yr U gam
   Yn frau, goch o'r dirgel;
   Gweld doe a'i dreiglad tawel
   O'r tractor tra'n cofio'r cel.

Y Bwthyn

Caer isel gwledig groeso—yn allor
   Diwylliant y Cymro;
   I'w furiau hen mwy â'r fro
   Ar wib ddifater heibio.

Mot

Wedi i'r gwas diwair o gi—ymadael
   Bu'r mud sylweddoli;
   Anwylo ein heiddo ni
   Nis gallwn nes ei golli.

Y Cadno

Rhwydd rodiwr liw'r rhudd redyn—a chwim walch
    Am ei oen neu ffowlyn;
    Nod a hwyl helgi a dyn
    Yw ei ddal rôl ei ddilyn.

Y Gog

Daw'n ôl dros lydan heli—hyd yma
    Am dymor i oedi,
    Yn foliannydd haf lwyni
    Yn nhes mis Mai â'i 'so mi'.

Simdde

Gwythïen talcen y tŷ—atynfa'r
    Tanfwg am i fyny,
    Hwnnw'n drwch glaswyn a dry
    I'r wybren o'r llawr obry.

Neuadd Goffa

Cedwir ifanc dau ryfel—yno o hyd
    Dan ei hadain ddiogel
    Neuadd wych ond ni ddychwel
    Yr hoff rai o'r hir ffarwél.

Aelwyd

Lle'r cur ac allor cariad,—diogel lawr
    Ein di-glwy ddechreuad
    Ydyw man ein dymuniad
    Yn ysig awr ein llesgâd.

Cwymp y Dail

Ar y ddôl, lliwgar ddilyw—mor ddi-nwyf
   Yw myrddiynau'r distryw,
   Hen dro'r rhod rhyw awr ydyw
   A'r hen wers, mor fodern yw.

Cesair

Reis y North mewn ras nerthol—dros y wlad
   Ar ei slant ysgubol,
   Gwae fydd orig fyddarol
   Ei iasoer ddawns ar y ddôl.

Datganiad

Hi'r Gymraeg i mi yw'r iaith—ddyladwy,
   Hon sydd wlad amherffaith,
   Ac arwyddion estroniaith
   Yn herio dyn ar ei daith.

Iwerddon

Draw dros y don, aflonydd—yw heno'r
   Franwen dan ei chystudd;
   Er Siôn Bwl, arhoswn, bydd
   I'w breuddwyd Basg boreddydd.

Prifeirdd Aberafan 1966

Ar dop ei glop gwisgo lid—stil wnaeth Dai,
   Stôl wnaeth Dic ei chymryd,
   I glyfar ddeufardd hefyd
   Gyfartal ran o'r can cwid.

Dai Ffair Rhos, da ei ffrasus—y gŵr sgwâr
   Is y goron gostus,
   Glew waith buddugoliaethus
   Fawrth, ei chael fu werth y chwys.

I'r sparcyn â'r hesb 'haircut',
Miniocwr cerdd mewn 'crew cut',
I'r Rhisiart 'lion-hearted'
Yn rhoi short nyni i'r shêd,
Rhwydd o angerdd ieuengoed
Yw rhin cân eglur Bryn-coed.

Wyd ail Fohamed Ali—yn symud
   Mor ddisymwth heini,
   Nid oes un o'r dwsenni
   All dy weld na'th sefyll di.

Fel gwir 'champion', ffeito'n ffêr—â'r ergyd
   I'r targed bob amser,
   Nid oes un dyn o'r syn sêr
   Eisie ffeit â'r six footer.

Rho dy law heddiw yn awr dy lwyddiant
I'w chynnes wasgu gan ffrind diffuant,
Cân mwy â gwres dy gynnes ogoniant
Ar ôl dwys wib fel yr haul diseibiant
Diwyd a hael fel dy dant—fo dy hau
A'th gynaeafau'n doreithiog nwyfiant.

Torch ar fedd 'Prins'—Medi 1981

Ein ci ni! wele ddiwedd—daearol
    Ddealltwriaeth ryfedd,
    Siom yw a'r hen Brins ym medd,
    Min y gwir, mae o'n gorwedd.

Gorwedd am byth ac aros—yn ei wâl
    Mewn hun ddiddiweddnos;
    Gennyf ni fu tasg anos
    Na rhoi'r clai ar sentri'r clos.

Sentri'r clos a sentiwr clau—y ceir cyn
    Dilyn eu pedolau;
    Ac fel raent ymaith weithiau
    'E wnâi bryd o'u mwdfflaps brau!

Brau yw ei hoedl, 'does barhad—i anifail,
    Dyn hefyd heb eithriad;
    Gwelir hyn fel eglurhad
    Heno ar dorymlyniad.

Torymlyniad, tro mileinig,—ni chaf
    Na chyfarch caredig
    Oriau'r hwyr ar drothwy'r drig
    Na'i ddawn ar feysydd unig.

Unig iawn a gwag yw hi—o'i fynd ef
    I'w un daith, mae inni
    Fwy nag archoll o golli
    Ein partner glas, gwas o gi.

Dau Ewyrth—Dau Frawd Awen

(i) Isfoel

I'r Derwydd* a'r fro daw hiraeth—ar ôl
   Athrylith a phennaeth,
   Heb siriol bersonoliaeth
   Yw'r gadair wag, adre aeth.

Anfarwol lef y werin,—'e welodd
   Ei galar a'i chwerthin,
   Un o'r praidd o Gymry prin,
   Wag-dywysog y dwsin.

Apostol efo pastwn,—y cyw mawr,
   Cymeriad o fyrddiwn,
   Maeddu cur wnâi'r meddyg hwn
   Gan ffisig yn y ffasiwn.

'Gwydderig' a'i ddihareb—yn y gân
   Yn ddigonol gofeb,
   O'r ysgar, swrth yw'r sgwrs heb
   Y chwit mewn fflach o ateb.

Bwrlwm 'rôl bwrlwm o berlau—rannodd
   Hyd yr henoed ddyddiau,
   Chwim fu'r awen a'r genau
   Gan arllwys gwin, er llesgáu.

Ciliodd cellweirwr Cilie,—duw'r hiwmor
   A drama'r faith siwrne
   Am byth, ond mae ei bethe
   Yn dw' llawn ar hyd y lle.

* enw cartre Isfoel

(ii) Alun Cilie

'Mawrth a ladd'. Llaw'r morthwyl hen—a gwympodd
    Arch-gampwr llys awen,
    Arlwywyd sgubor lawen
    Â grawn llawn ein gwron llên.

Caeau helaeth y Cilie—yn irlas
    Fwrlwm hyd eu godre,
    Afieithus henfro'r Fothe
    A Phen Foel ei hoff nef e.

Ei iach chwarddiad glywadwy—a holltai
    Dan het wellt glodadwy!
    Heulog fodel gofiadwy,—
    Yr ha' yn hir, hi yn hwy!

Fo'r diweddaf o'r deuddeg—a'n swynodd
    Â seiniau ei dechneg:
    'Does lais trwm, rhigwm na rheg
    Yn lluesty'r coll osteg.

Cipiwyd gan erw'r Capel—gwiw hwnnw
    Sy'n ei gân aruchel,
    Wyrth o ewyrth i'w thawel
    Dŷ, a phridd ei thrist ffarwél.

Wynfford Tomos, Penllwyn, Ceinewydd
(Bu farw 7 Mawrth 1968)

Aeth i'r bedd o drothwy'r byd—Wyn Pen-llwyn
    Cyn penllanw'i wynfyd,
    Gwag yw'r cartref a hefyd
    Yn fawr ei gwae'r fro i gyd.

Ugain oed egin ydoedd,—ac o'i flaen
   Decaf lu'r blynyddoedd,
   Anweledig oludoedd,—
   Rhyngo a hwy'r angau oedd.

Dafydd Andrew, Pontgarreg
(Bu farw 28 Ebrill 1967 yn 19 mlwydd oed)

O'r llwyfan a'r holl afiaith,—a ninnau
   Yno'n dyrfa berffaith,
   Diamod fyned ymaith,
   Cau'r llen cyn gorffen y gwaith.

Mwy dirymwyd yr hiwmor,—hoen anian
   Awenydd ac actor,
   Ar hwyr ddydd, ofer drwy'r ddôr
   Yw disgwylyd y sgolor.

Mae'n Neuadd ddwys am na ddaw—Andrew mwyn
   O dir mynwent ddistaw
   A'r gro iasoer a'i groesaw,
   Yn hogyn iach un deg naw.

Nos da, ffrind, bu'n drist ffarwél,—er y ffoi
   Hwnt i'r ffin anochel,
   Golud dy fywyd oedd fel
   Y trechaist dy her uchel.

Ar ymddeoliad Nyrs Thomas, Gwynfor, Pontgarreg
(Fel nyrs y plwy)

Llu y serchog gymdogion,—ias melys
    Y miloedd atgofion,
   Deil eu hud o'r ardal hon
   Yn iach eli i'w chalon.

Hwyr y Banc

Cwr o deg Geredigion—ar ogwydd
    Tua'r creigiau geirwon,
   Uchel yw'r daith uwchlaw'r don,
   Oed fêl a diofalon.

Ni wreiddiodd ffug-wareiddiad—y chwerw oes
    Yn ei chrud anwastad,
   Ni ddaw trais i ladd trwsiad
   Daear lwys ymhen draw'r wlad.

Hwyr o haf, profiad rhyfedd—ydyw ffoi
    Hyd ffin yr unigedd
   A'r dŵr agored a hedd
   Hyd stodiau ei wastadedd.

Caf rodio mewn diog hyfrydwch—gweld
    Cynfas gwych o harddwch
   Hen dir serth nas tyrr y swch
   Hyd oledd ei dawelwch.

I gofio Evan David Beechey (Dai), Frondeiniol, Llangrannog

(Hunodd 10 Mehefin 1976 yn 54 oed. Fe'i claddwyd ym mynwent Eglwys Dewi Sant, Blaencelyn.)

Cadwyni aur coed yn wych—yn hongian
   O'r cangau lle'r elych,
Medrwn wrth dramwy edrych
Ar y grym yn wyn o'r gwrych.

Ond efo o'i lawndwf wedd—yn hafod
   Mehefin yn gorwedd
Yn Newi Sant, a'r glas hedd
Dros dywarch drws y diwedd.

Trown at erwau naturiol—hen uchder
   Y Lochtyn drwy gydol
Hinon ha, ond ni ddaw'n ôl
Dai yno i Frondeiniol.

At ei blant abal, a hi—y rhadlon
   A'r gariadlawn Bessie,
A'i groyw lais fel y gwâr li,—
Dad da, mor drist yw tewi!

Hwn fu â'i nef yn ei waith—fore a hwyr,
   Oferol! neu ymaith
Yn oriau'r dydd ar hir daith,—
Ledio deiliaid ei dalaith.

Yn eich pryder cymerwch—funud fwyn
   Hyd ei fedd a gwelwch
Goron cymwynasgarwch
Er cysur uwch llety'r llwch.

Englynion Coffa i David Andrew Goronwy Phillips

(15 oed, Goyffos, Synod Inn, a gollodd ei fywyd trwy ddamwain, 25 Rhagfyr, 1964. Fe'i claddwyd ym mynwent St Marc, Gwenlli.)

Storom a'i grymusterau—a heriodd
   Gariad i'w gynseiliau,
  Trist yw teulu'r doluriau
  Ar ei ôl, a'r gwae'n parhau.

Daw alaw Mai, daw'r deilios,—eleni
   Fel o'r blaen i'r Goyffos,
  Yntau yn hedd lawnt y nos
  O dan weryd yn aros.

Mam

(Bu farw 9 Mawrth 1979)

O'r glyn daeth llaw'r gelyn du—i'r Gaerwen,
   I droi gwraig o'r neilltu,
  Yn naear ein galaru
  Y mae'r fam orau a fu.

Iwerddon

Hir yw galar y galon—a dorrwyd
   Gan fradwriaeth estron,
  Siôn Bwl a'i weis yn y bôn
  Yw tarddiad *dwy* Iwerddon.

Englynion Coffa i Evan Timothy Thomas, Maes-llan, Llwyndafydd

(Hunodd 8 Chwefror 1959)

Och! Afrwydd rhoi pridd Chwefror—dros un ffraeth
    Dros hen ffrind aneisior;
    Dirymwyd ffrwd yr hiwmor
    Is sêl ddwys yr oesol ddôr.

Hen garedig ŵr ydoedd,—a model
    Gymydog y cylchoedd;
    Partner ffri, diofid oedd,
    Hen foe llwyraf llaweroedd.

I'w hundy ef yn Llwyndafydd—doed hedd,
    A doed hoe ddigystudd,
    Hoe ddilys, felys a fydd
    Hoe gwledig lythyrgludydd.

Ym Maes-llan mae syllu heno—ar fwlch
    Y braf un aeth iso;
    Evan Tim, ei gofiant o
    Yw'r enaid difarw yno.

Y Draffordd

Ffolai ar gar newydd fflam,—di-ofal
    Waed ifanc ar garlam;
    Rhoes mamba darmacadam
    Nod am oes ar Dad a Mam.

Y Ddau Heliwr

(a ymwelodd â'r Gaerwen i hela gïachod)

Wele roedd dau heliwr iach—yn meddwl
    Mai hawdd oedd dal gïach!
    Eto byw yw'r dartiau bach
    Ar y waun,—oll yn groeniach!

Marw Dwy Wraig

(sef Mrs Eunice Jones a Mrs Annie Jones—y cynta'n wraig Fred Jones, y Cilie, a'r ail yn wraig S. B. Jones (Seimon))

Eunice, o fro'r goleuni—ei adref
    At Ffrederic yn gwmni,
    Yn unwedd hebrwn' Annie
    I nos y bedd at S.B.

Y Bwrdd

Oddi wrth foethau cogau cegin—awn oll
    At hen Allor gwerin;
    Yn wylaidd cawn ar ddeulin
    Efo'r Gŵr, fara a gwin.

Llwynog

Twyllodrus fandit llwydrudd,—ddaw heno
    O'i ddinas ar drywydd,
    Ar y banc yfory bydd
    Ei einioes yn llaw'r cynydd.

Swyddog Tystio Lloi
(i'r Prifardd Dafydd Jones, Ffair Rhos)

Hwn yw'r llew sy'n barnu'r llo—os ydyw'n
    Werth sybseidi ganddo,
    'Da'i binsiwrn daw i bwnsho
    Hwylus dwll yn ei glust o.

Aelwyd

Ar hon bu ein rhieni—i'r eitha'n
    Trwytho a chynghori;
    Heno'r hwyrnos—ceir arni
    Eto yn awr—ein plant ni!

Y Llwybr Llaethog
(caer Gwydion neu Gaer Arianrhod)

Dwys yw afiaith mud sefyll—gŵr daear
    Â'i gredoau'n gandryll,
    Ardderchog fawredd erchyll
    Yw'r dirion gaer draw'n y gwyll.

Beddargraff

Beddargraff Menyw Falch

Sgìl Dol oedd siglo'i dwy ham—a'i dileit
   Fu'r stileto fyrgam;
   Nid pôs yw dwedyd paham
   I'r modur fwrw madam!

Beddargraff Teiliwr

Rhoi gwas gwisg dan garreg sgwâr—i'r pathos
   O'r pwythau gafaelgar,
   Dewin y twid mewn daear
   Yn absoliwt siwt y sa'r.

Beddargraff Rheolwr Banc

'Does rifo geiro'n y gell,—a rhy drwm
   Oferdrafft y briddell;
   Y lliw iawn yw pob llinell
   O'th gownt gyda'r Pennaeth gwell.

Beddargraff y Beirniad

Am eraill, llym ei eirie,—y FI FAWR,
   Chwiliai fai hyd ange;
   Y Bos a rydd ei bwyse
   Yn nydd y Farn iddo fe.

Beddargraff 'Traffic Warden'

Dwst i'r dwst o drwst y dre—a thrafferth
   Ei thraffig pig-orie,
   Gwelodd pan droes y gole
   Fod ffordd y Llan yn wan-we!

Beddargraff yr Ysgolfeistr

Mae'r ialen mwy ar wylie,—i bridd daeth
   O'r bwrdd du a'r tasge,
   Rhwym yw 'syr' i amsere
   Athro uwch 'rôl mynd sha thre'.

Beddargraff Clebren

Un wael oedd am greu celwyddau,—ei brawl
   Fu'n boen bro drwy'i dyddiau;
   Mae'r sbeng ym mhreseb angau
   A'r geg (hyd y farn) ar gau!

Beddargraff y Dyn Insiwrin

Dai Hodj, yndergrownd edjent,—hoe'r dalar
   Yw d'olaf instolment,
   Dy swm mwy yw tlawd siment
   Un maen a chwmni mynwent.

Beddargraff Pregethwr

Pregethwr trwm we'r Parch N. M. Estin,
A slipodd ei ddisg wrth godi ei destun,
Wrth sbido adre o oedfa Bethania
Moelodd ei gar ar batshyn o stania,
A chan fod ei galon wedi stopo
Doedd dim i'w wneud ond rhoi pridd ar ei dop o.

The Fat Man

Unbent,—a Billy Bunter,—a roundish
    Friend of fleshy matter,
    Villain heavy—he'll never
    See below his belly hair.

One double chinned, below a chest—a balloon
    He displays for interest,
    He can't control the contest
    Of a belly v a vest.

To a Gipsy

In your tomb from poverty—tonight rest,
    You won't roam the country
    In your van, or have any
    More mean words, my Romany.

To a Bachelor

Unmarried, he was merry,—no quarrels
    No care in his shanty,
    No moaning over money,
    No keen 'boss' and no 'queen bee'.

To a Policeman

What glee! the stout Goliath—has ended
    Beneath sand, his warpath
    Bunkered; they won't in Boncath
    Dare roam o'er his aftermath!

Caethiwed

Yn fwa tyner dan y baich o lyfrau
  Yr awn bob bore ar ôl dracht o de;
Cem, Bot a Sw yn llanw'r hirfaith oriau
  Tu fewn i'r carchar pumdydd yn y dre.
Dyheu am weld, wrth feicrosgobig sbïo
  Holl lwyni Mai o dan gyfoethog stôr,
Uwchben y test-tiwb, mynych y breuddwydio
  Am gywain gwair yn chwaon Caeau'r Môr.
Ac yn y dyddiau tyngedfennol hynny
  Wrth geisio llanw'r ffwlsgap am dair awr,
Bûm bron â dianc adre dan garlamu
  Ar ôl chwe blynedd o ddiflastod mawr.
Cyn dod o Awst i roi'r derfynol sêl
I'r gweddill disglair yn y 'Western Mêl'.

Rhyddid

Yn laslanc talsyth 'rôl pryd ham ac wyau
  Yr af i gyrchu'r gwartheg tua saith;
Aredig cwys ar hyd agored erwau,
  Fel bu fy nhadau dros ganrifoedd maith.
Hamddenol ddilyn pob beunyddiol orchwyl
  A chael y ddau Gynhaeaf yn eu pryd,
Fy mhleser yn y sicrwydd wedi'r disgwyl
  Y daw rhyw wobrwy ar y stad o hyd.
A phan ddaw'r hwyr, i'r foel y mynnaf esgyn,
  I weled eang banorama'r haf,
A'r haul mewn rhwysg ymhen draw'r bae yn disgyn
  O'r nen â'i harwydd am yfory braf.
A diolch wnaf o'r gogoneddus le
Am lwyddiant y gwag ffwlsgap gynt mewn tre.

Y Bennod Olaf

Diflastod fu dy ddwyn o'r banc i lawr
  A heibio i'r clos a'r stabal y tro hwn,
Ti wyddost fod y tractor yma'n awr
  Lle buost ti a Darbi'n camu'r grwn,
Boed iti faddau im am d'adael di
  I aros allan mewn gaeafau oer
Drwy'r dydd a'r nos gerllaw agored li,
  Heb gwmni ond yr haul, y sêr a'r lloer,
A dyma ni wrth oledd ddrws y trwc,
  Tyrd dithau i fyny ar ofalus droed,
Ni waeddaf innau heddiw na rhoi plwc
  Wrth arwain un fu'n ufudd iawn erioed,
Mynd wyt, heb redeg a heb gerdded chwaith
I ffwrdd, y cyntaf, ie, a'r olaf gwaith.

Y Fedel

'Lan o Gwm-sgog dewch eto'n llawen dyrfa
  Ar alwad y corn medi gyda'r wawr,
Mae tonnau parc Gaer Ddu yn torri'n ara'
  Ar y talare cyn y lladdfa fawr!
Ac wedi'r hogi brwd, grydd, gweydd a hewlwr,
  Ewch, fflachiwch eich pladuriau glân mewn trefn,
Ac wedi'r wledd dan haul y dydd digynnwr'
  Cewch fygyn, stori a dadflino cefn,
Yfory dewch â'ch gwragedd dros 'run llwybrau
  I rwymo'r bras ystodau yn eu tro,
Rhoi'r sgubau gylch ar gylch yn y sopynnau
  A'r tyrrau pwt yn addurn balch y fro.
Caf innau deimlo'r wefr o glwyd y clos
Wrth dremio draw, a'r lloer dros fanc Tŷ'r Rhos.'

Waldo

Y mae ambell enaid nad yw o'r byd hwn,
A'i bennyd diddiolch yw cario ein pwn,
Yr anwel a wêl a'r distaw a glyw,
Mae bywyd mewn marw, mae marw mewn byw.
O'i delyn i'w genedl, cynghanedd y rhod
Oedd yno i'w chlywed ac arswyd ein bod.
Cael cennad brawdoliaeth dros dro oedd ein braint,
Ac edrych a gwrando yng nghysgod ei faint
Pan nad oedd yn siarad â ni'n yr un iaith
Ar lwybrau gwahanol a dyrys y daith,
Cyn aros a gadael ei stamp ar y maen
Daearol ym Mhenfro wrth fynd yn ei flaen.

Ci Defaid

'Cer eto, Moss, am waelod Parc Tan Fron
    A hithau'n fore'r cneifio ar fy stad,
Rho glust ddeallus i'm chwibaniad llon
    Wrth groesi'n ufudd, erwau dy fwynhad.
Tro hwynt yn ara deg am fwlch Parc Main,
    Parc Mawr, a Pharc Cefn 'rydlan, dyna fe,
I'r clos â'r diawled. Nawr te miwn â rhain,
    Gan bwyll y ci, 'na ti, rho nhw'n eu lle;
D're nôl â hi boe, ie, dal un 'to Twm bach,
    O'r ffordd â'r gwlân 'ma Eisac, damo'r clêr,
Nawr gorwe', watsha nhw! Gwell newid sach,
    On'd odi'r tywy' twym ma'n whare'r bêr.
Agor yr iet, cer nôl â nhw drachefn
I'r banc yn wyn eu byd a noeth eu cefn.'